회귀 경찰의

리셋 라이프

The Reset Life

# 회귀 경찰의 리셋 라이프 19

**초판 1쇄 발행 2023년 2월 10일**

지은이 ㅣ 한길
발행인 ㅣ 신현호
편집장 ㅣ 이호준
편집 ㅣ 송영규 최종건 정재웅 양동훈 곽원호 조정범 강준석 최성화
편집디자인 ㅣ 한방울
영업 ㅣ 김민원

펴낸곳 ㅣ ㈜ 디앤씨미디어
등록 ㅣ 2002년 4월 25일 제20-260호
주소 ㅣ 서울시 구로구 디지털로 26길 111 JnK디지털타워 503호
전화 ㅣ 02-333-2513(대표)
팩시밀리 ㅣ 02-333-2514
E-mail ㅣ papy_dnc@dncmedia.co.kr
블로그 ㅣ blog.naver.com/gnpdl7

ISBN 979-11-364-4199-7 04810
ISBN 979-11-364-2581-2 (SET)

Papyrus Modern Fantasy
한길 현대 판타지 장편소설
회귀경찰의
리셋라이프
19
PAPYRUS
파피루스

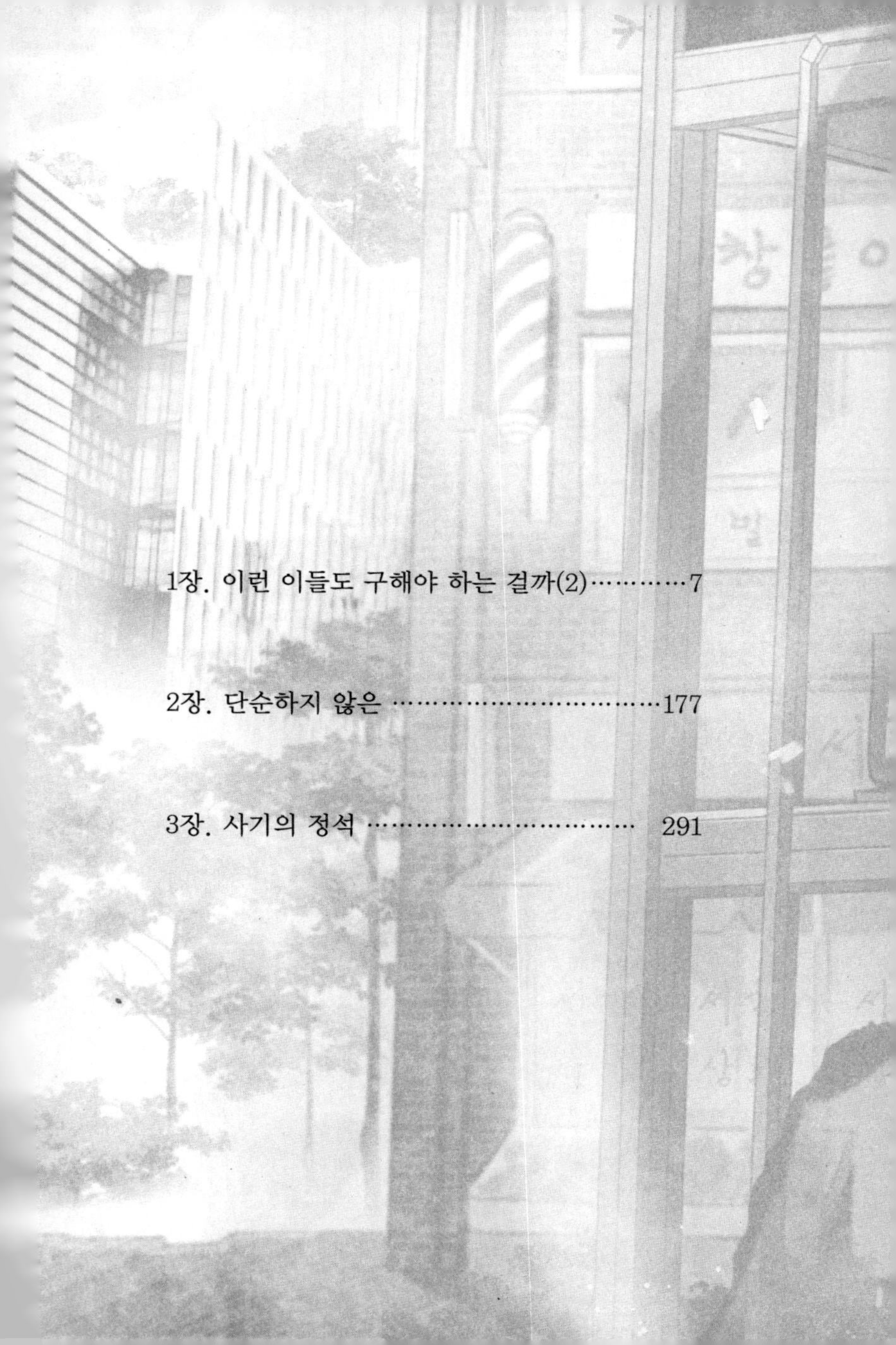

# 1장. 이런 이들도 구해야 하는 걸까(2)

## 이런 이들도 구해야 하는 걸까(2)

　한국인, 그것도 대학생 23명과 대학 교수 1명이 아프가
니스탄 무장테러단체에 의해 피랍됐다.

　정부 대책반은 순식간에 꾸려졌고, 외교부 장관을 비롯
해 인터폴, 국정원, 특수부대 사령관까지 각 분야의 전문
가들이 외교부 청사로 모여들었다.

　그리고 그 안에는 종혁과 함경필 국장, 그리고 박종명
경찰청장도 있었다. 외국에서 발생하는 범죄는 모두 외
사국의 영역이기 때문이다.

　그렇게 다양한 분양의 사람들이 모여 있다 보니 서로의
말소리들이 커진다.

　웅성웅성.

　"뭐야. 경찰이 여긴 왜 있어?"

　"외사국이랍니다."

"아, 그래? 그런데 저 젊은 청년은 어디서 본 듯한데……."

"그 왜 있잖습니까, 장애인 학교. 거기다 러시아와 미국이 주시하는……."

"아아."

사람들은 이 자리에서 가장 젊은 종혁에게 호기심을 드러냈고, 종혁은 면면이 화려한 사람들을 보며 혀를 내둘렀다.

'이야, 최종혁 많이 컸다. 이런 자리에 다 와 보고. 그런데…… 어째 10퍼센트는 낯이 익냐?'

죄다 이번 정권이 끝난 이후 나가리 되는, 이런저런 죄목으로 신문에 나오거나 교도소 신세를 지게 되는 양반들이었다.

'작작 좀 해 처먹어라. 진짜.'

"대통령님께서 입장하십니다."

모두 자리에서 일어나 문을 응시한다.

벌컥!

거칠게 문을 열고 들어오는 박노형 대통령.

피랍 소식이 전해진 이후 심적 고생이 많았는지 그의 얼굴에 피로가 가득하다.

"인사는 나중에 하고 브리핑부터 듣읍시다. 국정원장, 정말 피랍이 맞습니까?"

사람들의 시선이 국정원 무리에게로 모였고, 입술을 깨문 국정원의 중동 파트 차장이 몸을 일으켰다.

"예. 대명대학교 기독동아리 달란트를 납치한 세력은

탈레반에 소속된 새벽의 등불이라는 수니파 극단주의 테러단체로…….”

조직이 창설된 지는 대략 4년 전. 형태는 점조직 형식이며 조직원 수는 최소 40명 이상으로 추정됐다.

다만 지도자와 간부들의 신원은 밝혀지지 않은 상황.

“이런 새벽의 등불은 창설 이후 현재까지 총 12번의 폭탄 테러와 충격 테러를 일삼았고…….”

그의 입에서 흘러나오는 정보에 사람들의 시선이 어두워져 갔다.

테러범이 무서운 이유가 무엇이던가. 언제 어디서 자살 폭탄 테러나 총탄이 날아올 수 있기 때문이다.

그런 이들의 숫자가 20명. 절로 머리가 아파 왔다.

박노형 대통령은 관자놀이를 꾹꾹 누르며 입을 열었다.

“저들의 요구 조건이 뭡니까?”

“……일단 영상을 보시죠.”

국정원 차장은 저쪽에서 보낸 영상을 재생했고, 이내 알라를 찬양하는 글귀와 저들을 나타내는 문양으로 보이는 깃발을 등 뒤로 두건을 쓴 사내들이 나타났다.

신원을 특정할 것은 모두 가리겠다는 건지 손끝까지 장갑을 낀 검은색 두건의 사내들 가운데에, 그 짧은 사이 모진 고초를 겪은 것인지 얼굴이 난장판이 된 남성이 무릎을 꿇은 채 벌벌 떨고 있었다.

기독동아리 달란트의 대학생이었다.

'빌어먹을.'

종혁이 주먹은 주먹을 부르르 떨었고, 그건 다른 사람들도 마찬가지였다.

피가 거꾸로 솟는 기분.

분명 구할 이유가 있을 정도로 대책없는 놈들이었지만, 저 모습을 보니 마음이 흔들린다.

그 사이 저들의 입이 열렸다.

쌀라쌀라 도통 알아듣지 못할 말.

박노형 대통령은 미간을 좁혔다.

"이거 통역은 없는 겁니까?"

"아, 제가 통역을 하겠습니다."

얼른 통역을 하려던 국정원 차장은 귓가를 울리는 소리에 입을 다물었다.

"이교도들은 들어라. 너희가 알라의 축복이 서린 이 땅을……."

나지막하게 중얼거리던 종혁은 자신에게 몰리는 시선에 의아해했다.

'아, 마이크.'

"죄송합니다. 목소리가 좀 컸네요."

"최, 최 팀장! 저 나라 말을 할 줄 알았어?"

"예. 뭐…… 언어를 익히는 게 취미다 보니."

회귀 전 밀입국해 돈을 벌다 사고를 치는 아프간 출신 불법 체류 외국인들 때문에 익히게 됐다.

눈을 빛낸 박노형이 마이크를 잡았다.

"맞아요. 최 팀장이 그 동의서를 받았다고 했죠?"

종혁은 고개를 끄덕였다. 그가 이 자리에 참석하게 된 이유가 바로 그 동의서를 받아 냈기 때문이다.

"예, 그렇습니다. 현재 아프가니스탄 내에서 한국인 기독교인에 대한 반감이 극심하다는 지인의 말이 기억나 최선을 다해 말려 봤습니다만……."

결국 이렇게 됐다.

종혁은 어깨를 으쓱였고, 외교부 장관은 얼굴을 구겼다.

"말리려면 확실히 말렸어야지!"

순간 울컥한 종혁은 냅다 상의를 벗어 젖혔다.

"이런 흉터를 보여 주었는데도 가겠다는 사람들을 어떻게 말립니까! 아니, 그렇게 말하는 외교부는 여태껏 뭘 하고 있었습니까! 사람이 말이야, 이런 동의서라도 대신 받아 줬으면 감사한 줄 알아야지!"

참고로 달려왔던 외교부 직원은 유서만 받았다. 아무 쓸모도 없는 유서만.

"괜히 자기네 일을 남에게 뒤집어씌우려 하고 말이야! 사람이 그러면 안 됩니다, 안 돼요!"

이래서 종혁이 발끈한 거다. 여차하면 뒤집어쓸 것 같아서.

"이러니 타국에서 대사관이 욕을 먹는 겁니다! 알아요?!"

"뭐야! 야, 너 몇 살이야!"

"먹을 만큼 먹었습니다. 왜요!"

"이 자식이! 이봐, 박 청장! 부하 관리를 어떻게 하는 거야!"

탕탕!

"조용히들 하세요! 지금 싸우려고 모였습니까?! 최 팀장도 어른에게 그러는 거 아닙니다."

"……쯧. 죄송합니다."

혀를 찬 종혁은 자리에 앉았고, 함경필은 그런 종혁의 손을 꽉 잡았다.

'하지 마. 제발…… 하지 마.'

'에혀.'

할 땐 하는 양반이 평소엔 왜 이렇게 새가슴인지 모르겠다.

"큼. 그럼 계속 시청하시겠습니다."

사람들의 시선은 다시 스크린으로 향했고, 종혁은 뭐라 뭐라 개소리를 지껄이는 범죄자들을 보며 눈을 가늘게 떴다.

'억양을 보니 남부 출신. 신장은…….'

전신을 꽁꽁 가려 알아낼 수 있는 건 한정적이었지만, 그래도 꽤 많은 정보가 그의 눈에 들어왔다.

"한국군은 즉시 이 땅에서 철수할 것이며 감옥에 갇힌 우리의 동료 16명을 석방할 것을 요구한다."

"아니……!"

"저 새끼들이?!"

한국군 철수란 말에 사람들의 엉덩이가 들썩인다.

"우리의 요구가 받아들여지지 않을 시 인질의 목숨은 보장할 수 없을 것이다."

그렇게 말한 발표자는 툭 대학생의 머리를 개머리판으로 두들겼고, 경기를 일으킨 대학생은 다급히 입을 열었다.

─사, 살려 주세요! 대통령님, 이들이 하는 말 다 들어 주세요! 제발요─! 엄마! 엉엉엉엉엉!

대체 무슨 꼴을 당한 건지 눈물을 줄줄 흘리는 대학생.

사람들은 탄식을 터트리거나 눈을 질끈 감는다.

그러나 종혁의 눈빛은 차가웠다.

"시발. 납치 쪽으로 배운 놈들이네."

흠칫!

종혁의 중얼거림에 놀란 박종명이 종혁을 쳐다봤다.

"그렇게 생각하는 이유라도 있나?"

"보여 주는 인질이 남자잖습니까."

"……?"

"저 인질이 만약 여자였으면 여기 사람들의 반응이 어땠을까요?"

보통 범죄자가 인질을 잡을 땐 약자로 보이는 여성이나 아동, 노인을 인질로 잡는다. 다루기가 편하기 때문이다.

하지만 이런 피랍이라면 이야기가 달라진다.

"그렇군. 눈이 뒤집어지겠어."

"예. 그래서 보통 저렇게 배운 테러범들은 절대 아이와 여자, 노인을 인질로 세우지 않습니다. 그 세 부류를 유린했다는 증거가 보여지는 순간 자신들이 내세운 혁명, 수복이라는 명분의 기치가 흐려지는 것도 있지만, 여기뿐만 아니라 다른 곳도 빡쳐 버리거든요."

"이를테면 미국?"

"그렇죠. 걔들이 그건 또 못 참거든…… 아, 죄송합니다."

종혁은 다시 몰린 시선에 고개를 숙였고, 박노형은 눈을 가늘게 떴다.

"납치 범죄에 대해 잘 아나 보군요."

"예. 공부를 하기도 했고, 지인들이 많이 알려 주기도 했습니다."

나탈리아에게 많이 배웠다.

또한 언론에 드러나진 않았을 뿐이지 돈을 목적으로 한 납치나 인질극은 지금도 대한민국 곳곳에서 일어나고 있었다.

"지인이라면……."

"그냥 아는 지인입니다. 여기서 거론할 일은 아닌 것 같습니다."

종혁이 단호하게 선을 긋자 박노형은 고개를 끄덕이며 물러났다.

"국정원장, 저들의 현재 위치는 파악됐습니까?"

"……죄송합니다."

"분명 외교부에서 각 종교 단체에 여행 제한 국가에 가지 말아 달라는 공문을 내렸을 텐데도 마킹하지 않았다는 겁니까?"

"드릴 말씀이 없습니다."

뿌득.

"그런 사과나 하라고 그 자리에 앉힌 게 아닐 텐데요?"

"죄송합니다……."

"미치겠군. 수장의 얼굴도 모른다, 아지트의 위치도 모른다. 저들이 우리 국민을 납치해 간 루트는 파악됐습니까?"

"……."

술렁술렁.

상황이 최악으로 흘러가고 있었다.

이 자리에 모인 사람들은 어떻게 할 거냐는 듯 박노형을 응시했다.

협상이냐, 구출이냐.

'구해야 한다. 저들이 대한민국 국민이기에 무조건 구해야 한다.'

하지만 그 구출 작전에 스러져 갈 젊은 피들은 대한민국 국민이 아니란 말인가.

얼마나 많은 사상자가 나올지 모른다. 그들이 죽어 가면서 보낼 그 원망을 박노형은 감당할 자신이 없었다.

또한 그들 역시 누군가의 아버지고, 아들이며, 남편이다. 유족들이 보낼 원망 역시도 그는 감당할 수 없었다.

"일단…… 협상을 하는 방향으로 가닥을 잡읍시다."

쿵!

"대통령님!"

"그건 안 됩니다, 대통령님!"

협상이라니 말도 안 된다.

저들에게 굴복해 돈을 주는 순간 해외에 돌아다니는 모든 한국인이 저들 탈레반의 타깃이 될 거다.

또한 테러범과의 협상 따윈 없다는 미국의 방침을 정면으로 위반하는 상황. 미국과 외교적인 문제가 불거질 수 있다.

사람들은 벌 떼처럼 일어났고, 종혁은 듣지 않겠다는 듯 눈을 감는 박노형을 보며 한숨을 내쉬었다.

'결국 이번에도 이렇게 됐군.'

다 좋은 데 모든 걸 너무 평화적으로 해결하려는 기미가 보이는 박노형 대통령.

그는 회귀 전처럼 악수를 두고 말았다.

'후, 어쩔 수 없나?'

종혁은 손을 들었다.

"저들이 도망친 루트는 제가 어느 정도 알고 있습니다."

획!

다급히 종혁에게로 모이는 시선. 다른 사람들처럼 박노형의 눈도 경악에 부릅떠진다.

"도, 도대체 어떻게……."

"사고 칠 게 뻔히 보여서 사람 한 명을 붙여 놨습니다."

"뭐, 뭐라고요?!"

회귀 전 그 난리를 친 놈들인데 어떻게 가만히 있을까.

몸을 일으킨 종혁은 국정원 차장을 봤다.

"오랜만입니다, 차장님. 인사는 나중에 하고, 스크린 좀 걷어 주시겠습니까?"

"어, 어! 잠깐만?!"

차장은 다급히 스크린을 걷었고, 그러자 그 뒤로 아프가니스탄의 지도가 나타났다. 현재 파악된 달란트의 이동 경로를 표시한 지도였다.

종혁은 그들이 납치된 지점을 가리켰다.

"이곳 카라바그 코앞에서 납치한 새벽의 등불은 교차로에서 우측으로 퇴각, 국도를 따라 쭉 올라갔습니다. 그러다 여기."

카라바그에서 50km가량 떨어진 작고 허름한 휴게소에서 미리 준비한 여섯 대의 차량에 인질들을 분산시켜 태운 후 각기 다른 방향으로 흩어졌다.

종혁의 부탁을 받은 사람은 그중 하나를 추적했지만…….

"카라바그에서 70킬로미터 떨어진 이곳 산으로 진입. 이 이상 미행을 했을 땐 인질의 안전을 보장할 수가 없어서 미행을 멈췄습니다. 그때 놈들이 이용한 차량의 번호판은…….."

종혁은 차종과 번호판을 말해 주었고, 눈을 부릅뜬 국정원 차장은 다급히 메모를 시작했다.

"이상입니다."

차갑다 못해 얼어붙은 회의실의 공기.

하지만 그것도 잠시. 너무도 중요한 정보에 회의실이

뜨겁게 달아오르기 시작했다.

"차장! 찾을 수 있겠습니까!"

"어떻게든 찾아내겠습니다!"

"뭐합니까! 바로 출발하세요!"

"옙!"

국정원 차장이 다급히 핸드폰을 들고 뛰쳐 나가고, 박노형은 다급히 사령관을 봤다.

"사령관, 상황이 이렇습니다. 구출 작전이 가능하겠습니까?"

"맡겨만 주십시오! 저런 근본도 없는 놈들쯤은 얼마든지 요리할 수 있습니다!"

"믿음직하군요. 알겠습니다. 언제든 작전을 펼칠 수 있도록 준비해 주십시오."

"충성! 꼭 구해 내겠습니다!"

고개를 끄덕인 박노형은 사람들을 둘러봤다.

"저기 최종혁 팀장의 소중한 정보로 구출 작전의 성공 확률이 높아졌지만, 아직 저들이 인질들을 구금한 모든 장소를 알아내지 못한 상황이니 협상은 그대로 진행하겠습니다."

"아니……."

"끄응."

사람들은 불만을 표했지만 그걸 밖으로 표출하진 않았다.

언제든 구출 작전을 펼칠 수 있다는, 다만 몇 명이라도 구할 수 있다는 것만으로도 어딘가.

종혁이 알려 준 산을 포위만 해도 저들에겐 큰 압박이 될 거다.

　물론 그러다 인질들이 죽는 상황이 발생할 수도 있지만, 한국이 호구 잡히는 것보다는 나았다.

　"다만 이는 시간을 벌기 위함이니 외교부 장관은 3시간 내로 협상단을 조직해 아프간으로 떠나 주시고, 국정원은 전력을 기울여 인질들이 구금된 장소를 알아내 주십시오. 또한 대책 본부는 언제 무슨 상황이 생기든 바로 대응할 수 있도록 준비를 해 주세요."

　"옛!"

　'후. 됐군.'

　여기까지 했으면 할 만큼 한 거다. 이제 남은 건 하늘에 맡기는 것뿐.

　종혁의 어깨가 힘이 빠진 듯 늘어졌다.

＊　＊　＊

　"그랬는데……."

　하늘에 맡겼는데…….

　[긴급 속보] 새벽의 등불, 대학생 유 모 씨 살해!

　"헉!"

　"어떡해……."

안타까운 소식에 침음성을 흘리는 공항의 이용객들.

종혁은 떨리는 눈으로 긴급 속보가 나오는 TV를 응시했다.

'쟤는 죽지 않았었는데…….'

유 모 씨. 이름 유승광. 나이 20세. 달란트의 대학생들 가운데서 기타를 메고 있던 놈이었다. 한국으로 무사 귀환을 한 후 차에 올라탈 때 웃고 있는 모습이 찍혀 대국민적인 공분을 산 놈.

게다가 원래 첫 번째 사망자가 발생하는 건 협상단이 아프간에 도착하고 5일이 지나서다. 고작 3일이 지난 지금이 아니라.

첫 번째 사망자 역시 유승광이 아니라 말이 통하지 않는 그 교수였다.

많은 게 회귀 전과 달라졌다.

'대체 왜……. 설마 나 때문인가? 내가 개입해서인가? 정말 그런 건가?'

빠드득!

"좆같네, 씨발."

뚝! 뚝!

종혁의 입가를 타고 피가 흘러내렸다.

그런 그의 어깨에 오택수의 손이 얹어진다.

"갈 거냐?"

"……몰라요."

할 만큼 다했다. 더 이상 할 수 있는 건 없었다.

솔직히 방금 전까지만 해도 몇 명이 죽어 나가도 아무렇지 않을 거라 생각했다.

경찰인 그로서는 막을 수 없는 일이니까.

자신보다 훨씬 더 많고 전문적인 사람들이 파견됐으니까.

전과 달리 놈들을 쫓을 정보도 있으니까!

그런데 모든 게 틀어져 버린 것을 보자 누가 심장을 쥐어짜는 것처럼 아파진다. 하지 말라는 짓을 해 버린 얄밉고 싫은 놈들인데도.

"정말 구하기 싫은 놈들인데도……."

"가자. 할 수 있는 게 없을지라도 저 동네에 있어야 발뻗고 자지."

"……씨발."

경찰이란 직업은 이래서 좆같다. 분명 닿을 수 없는 곳에서 일어난 사건마저도 가슴에 한으로 남아 버리니 말이다.

아무래도 인천공항에서 사람을 만들려는 건 포기해야 할 것 같았다.

"예, 국장님. 저 장기 휴가 갑니다. 허락하실 거 아니면 그냥 징계 때려 주세요."

그들은 출국장으로 향했다.

* * *

죽었다.

정말 사람이, 친구가 목이 잘려 죽었다.

분수처럼 뿜어지던 피.

자신에게 닥친 일을 받아들이지 못한 채 싸늘하게 식어 가던 친구의 눈.

그 눈이 말했다.

'왜 나만…….'

"악!"

"헉!"

깊은 굴 속에 지어진 감옥.

마치 짜기라도 한 듯 기겁하며 깨어난 4명은 구석으로 달려가 눈물과 함께 오바이트를 쏟아 냈다.

"웨엑!"

"웩!"

지난 며칠간 먹은 것이라곤 삶은 감자 한 덩이와 물 몇 모금이 전부인 그들. 쓰디쓴 위액을 쏟아 낸 그들은 무릎에 힘이 풀려 주저앉았다.

그들의 눈에 설움이 차오른다.

"이, 이게 뭐야……. 이게 뭐예요, 교수님."

"안전하다며……. 괜찮을 거라고 했잖아……."

이런 곳인 줄 알았다면 오지 않았을 것이다. 이런 꼴을 당할 줄 알았다면 절대 오지 않았을 것이다.

'그 사람이 말릴 때 들을걸…….'

협박까지 해 가며 말렸던 인천공항의 경찰, 종혁.

"뭐라고 말 좀 해 봐요!"

제자들의 죽일 듯한 눈을 본 교수는 떠듬떠듬 입을 열었다.

"이, 이 모두 주님께서 우리를 시험하기 위해…….."

"주님께서 우릴 지켜 줄 거라며!"

"닥쳐! 다 당신 책임이야! 승광이가 죽은 건 모두 당신 때문이라고!"

"모, 모두 진정하고! 이럴수록……!"

콰앙!

"꺅!"

사람들은 급히 귀를 막으며 몸을 웅크렸다.

뚜벅뚜벅!

이쪽으로 다가오는 군홧발 소리.

사람들은 감옥 철창 앞에 나타난 사람을 보곤 질겁했다.

"역시 배에 기름이 잔뜩 껴서 그런지 감자만 먹고도 힘이 넘치는군."

알아듣지 못할 언어에 교수는 다급히 나섰다. 지금 항변하는 모습을 보이지 않으면 제자들에게 맞아 죽게 생겼기 때문이다.

"대, 대체 왜 이러는 겁니까! 몸값을 받으려면 우리가 멀쩡해야 하지 않습니까! 그런데 대체 왜 승광이를……!"

철창을 잡고 흔드는 소리에 새벽의 등불 조직원들은 무함드를 봤고, 그는 어깨를 으쓱였다.

"뭐 대충 왜 죽였냐는 말 아닐까?"

"한국어를 할 줄 아는 거 아니었어?"

"조금. 영어도 조금."

"하긴, 알라를 믿지 않는 자들의 말 따윈 알 필요가 없지."

조직원 중 조장으로 보이는 사내, 파미르가 사람들을 둘러보며 이를 드러냈다.

"왜 죽였냐고? 말만 해서는 누구도 귀를 기울이지 않기 때문이지."

그리고 비밀리에 자신들을 찾고 있다는 정보도 입수됐다. 본보기였고, 승광을 고른 건 승광이 제일 젊고 제일 겁쟁이였기 때문이다.

"이걸로 우리의 뜻은 잘 알아들었겠지. 그럼…… 저거 끌고 나와."

파미르가 여성, 해수를 가리키는 순간 해수와 조직원들의 표정이 극명하게 갈린다.

해수는 파랗게 질리고, 조직원들의 입가엔 함박미소가 걸렸다.

"예!"

철컹!

"아악! 안 돼!"

"따라와, 이교도 년아."

"해수야!"

"아악! 꺄아악! 사, 살려 주세요! 살려 주세요, 교수님!"

머리채를 잡힌 채 짐짝처럼 끌려가는 해수.

그러나 나서는 이가 한 명 없다. 눈이 마주치자 다급히 고개를 돌릴 뿐.

파미르는 이번에도 동료를, 여성을 외면하는 그들을 보며 입술을 비틀었다.

"돼지 새끼들."

코웃음을 치며 돌아선 파미르는 입을 열었다.

"나 잠시 카불에 다녀올 테니까 이놈들 잘 감시해. 산어귀들도."

"카불에? 무슨 일?"

"한국 놈들의 동향을 알아봐야지."

"아, 그래. 알았어. 조심히 다녀와."

"뭐 사다 줄 건 없어?"

그들은 두런두런 이야기를 나누며 멀어졌고, 남겨진 3명은 고개를 숙이며 눈물을 흘렸다.

지금이라도 이 꿈에서 깨어나기를…….

누가 이 모든 게 거짓말이라고 해 주기를, 그들은 간절히 바랐다.

\* \* \*

기이이잉!

카불의 국제공항.

─일단 장기 출장으로 돌려놓긴 했는데…….

"감사합니다, 국장님."

─에혀. 아니다. 내가 최 팀장 마음 모르는 것도 아니고.

같은 경찰로서 종혁의 마음을 왜 모르겠는가.

진짜 죽어도 되는 놈들이지만 그래도 죽었다. 그것도 말리고 말렸던 사람들이.

제정신이면 그게 이상했다.

―알았으니까 몸성히만 돌아와. 괜히 협상단 근처 얼쩡거리다가 꼬투리 잡히지 말고. 그땐 나도, 청장님도 커버 못 쳐 줘.

"돌아갈 때 선물이라도 사 갈까요?"

―됐어, 됐어. 그럼 나 배 터져 죽어.

"하하. 알겠습니다. 충성."

―아, 잠깐! 최 팀장! 그런데 정말 영국에서 이렇게 많이…….

통화를 종료한 종혁은 오택수와 최재수를 봤다.

"뭐래요?"

"몸성히만 돌아오래."

"오. 역시 국장님."

외사국에 온 지 보름도 안 됐는데, 역시라는 말이 나올 정도로 좋은 함경필 국장.

"흠. 선물이라도 사 드려야겠네. 이 나라는 뭐가 유명하지?"

종혁은 옆으로 고개를 돌리며 입을 열었다.

"뭐가 유명하죠?"

"청금석이나 보석이 유명합니다."

흠칫!

최재수는 이쪽을 향해 다가오는 정장을 입은 사십대 외

국인의 모습에 깜짝 놀랐고, 외국인은 종혁에게 손을 내밀었다.

"랭리에서 카불로 파견된 린치입니다."

여기도 린치.

종혁은 이래서 CIA에는 정이 안 간다며 고개를 저었다.

"후후. 미스터 미라클을 만나게 되어 영광이고, 사전에 차단하지 못해 죄송합니다."

"……아니요. 제가 부탁한 건 어디까지나 감시였는걸요."

그랬다. 종혁이 달란트의 감시를 부탁한 건 CIA였다.

아프간에 영향력이 높은 미국. 이 정도까지 해 준 것만으로도 이들은 할 일을 다 해 준 거다.

"오히려 무리한 부탁을 들어줘서 감사했습니다. 그런데 미라클이요?"

"이 수식어로도 부족하죠."

종혁이 개발한 특수한 훈련법으로 인해 미 정보기관뿐만 아니라 특수부대 대원들의 신체 능력이 말도 안 될 정도로 향상되면서, 아프가니스탄에서 암약 중인 CIA 요원들의 작전 성공률이 말도 안 되게 높아졌다.

종혁은 국가를 위해 장렬히 산화했을 CIA 요원들의 목숨을 살린 은인이었다.

'알 카에다 소탕 작전에서도 그 도움을 톡톡히 받았지.'

거기다 이번 중국의 대폭락 사태로 인해 CIA가 막대한 이득을 얻었다. 현재까지 벌어들인 액수가 무려 미국의 1년 치 국방 예산.

중국이라는 나라는 성장의 동력을 잃고 있었다.

'몬스터.'

종혁은 천재라는 겸손의 탈을 쓴 괴물이었다.

'이로 인해 최가 예언자나 메시아가 아니냐는 말까지 나올 정도였지.'

심지어 회귀자나 외계인이라는 소리도 나왔다.

"끙. 그냥 최라고 불러 주세요."

"하하. 가시죠. 차량을 준비해 뒀습니다."

린치는 종혁을 공항 밖에 세워 둔 방탄차로 안내했고, 최재수가 슬그머니 입을 열었다.

"팀장님, 그런데 랭리가 어디예요?"

"CIA 본부가 있는 동네."

"워, 씨. 오 경감님은 알았어요?"

"그, 그럼 새꺄. 그런 거 모르는 사람도 있어? 신문 좀 봐라."

"……솔직히 말해. 당신도 몰랐지?"

빠악!

"몰랐지는 반말이고! 이 새끼가 요새 자꾸 기어오르네? 오늘 날 한번 잡아?!"

"그래! 계급장 떼고 한판 붙자! 어?!"

"그래, 붙자. 붙어. 너 이리와!"

오택수가 팔을 걷자 최재수는 단숨에 줄행랑을 놓았고, 종혁은 그 모습을 보며 고개를 저었다.

안에서 새는 바가지 바깥에선 좀 새지 말았으면 싶었다.

그렇게 차량에 오른 종혁은 CIA가 준비한 숙소로 향했고, 린치는 그런 그에게 몇 장의 서류를 넘겨줬다.

"새벽의 등불 내부 자료와 빈민가에서 봉사 포교를 하는 달란트를 주시하던 놈들입니다."

가까이서 찍은 건지 얼굴 생김새가 뚜렷하게 찍힌 사진들.

"둘 다 이름은 불명이지만 이번 피랍 사건으로 드러난 놈들로, 칸다하르와 바미안에서 세 번의 폭탄 테러를 일으킨 걸로 추정되고 있습니다."

"……이래서 칸다하르 인근에서 납치를 한 거군요."

만약 칸다하르 시내에서 납치를 했다면 어떻게 됐을까.

그땐 아프간 정부군과 미군들이 움직였을 거다. 벼르고 있었을 테니 말이다.

"약은 새끼들. 그런데 협상단이 놈들을 찾고 있다는 정보는 어떻게 새어 나간 겁니까?"

"이 나라에선 뇌물이면 안 되는 게 없죠."

'지랄 맞네, 씨발.'

대충 상황이 그려진다.

국정원은 놈들을 쫓기 위해 CCTV나 아프간 경찰의 상황통제실을 뒤집었을 거고, 거기서 정보가 새어 나갔을 거다.

"그리고 무함드……."

"달란트에게 통역사로 붙은 놈이군요."

"미리 알아차리지 못해서 죄송합니다."

종혁은 고개를 저으며 나머지 서류들을 살폈고, 이내 풀썩 웃었다.

"거 무쟈게 맛나 보였나 보네. 씨발."

그 빈민가에 새벽의 등불뿐만 아니라 탈레반의 다른 조직들도 있었다.

종혁은 살펴보라며 오택수와 최재수에게 자료를 넘긴 후 린치를 봤다.

"그런데 자료는 이게 전부입니까?"

나머진 국정원에서 알아낸 자료와 별반 다를 게 없다.

"저희도 인력 부족이란 게 있다 보니…… 라고 말하고 싶지만, 꽤 치밀한 놈들이더군요."

겨우 4년 전에 생긴 신생 조직답지 않게 틈이 없었다.

어떻게든 조직 내부에 사람을 투입시키려 노력했지만, 그도 안 된다면 그냥 친분 관계라도 맺고 싶었지만 굉장히 폐쇄적인 놈들이라 접근 자체가 불가능한 수준이었다.

솔직히 이번 피랍에 모습을 드러낸 놈들 모두 처음 보는 놈들이었다.

"그건 좀 신기하네요."

어떤 조직이든 처음부터 완벽한 곳은 없다.

'대체 뭐하던 놈들이지?'

"아! 혹시 이놈들에게 배경이 있습니까?"

린치는 모르겠다는 듯 고개를 저었다. 조직의 규모가 작다 보니 그동안 상대적으로 관심이 덜할 수밖에 없었다.

이런 린치의 말에 종혁은 한숨을 내쉬었다.

'이 새끼들 이름이라도 안다면 좋을 텐데…….'

일말의 가능성이라도 생기는 것이니 말이다.

"이 자료들 협상단에게도 넘겨줬습니까?"

"하하. 최가 넘기시는 게 어떻습니까?"

"아니요."

종혁은 단호히 고개를 저었다.

그런 정보를 넘겨줬는데도 보안을 지키지 못한 협상단이다. 그들은 종혁에게 신뢰를 잃었다고 봐야 했다.

"한국과 미국이 비즈니스 관계이니만큼 철저히 비즈니스적으로 접근해야죠. 얻어 낼 게 있으면 얼마든지 얻어 내십시오."

"……괜찮겠습니까?"

"전 한국이라는 나라와 국민을 사랑하는 거지, 정부를 사랑하는 건 아닙니다."

"유의하겠습니다."

'그랬군. 최가 이런 사람이기에 우리 미국인으로 만들지 못한 거였어.'

국가와 국민을 사랑하고 지키려는 마음. 애국심. 사명감.

그는 종혁에게 사랑을 받는 대한민국 국민들이 좀 부러워졌다.

그 순간이었다.

퍼어어엉!

"악!"

투다다다다당!

멀리서 들려오는 폭음들.

"정부군과 탈레반이 한판 붙고 있나 보군요."

마치 일상이라는 듯 태연한 말투에 종혁은 질려 버리고 말았다.

'……버라이어티하네, 씨발.'

"담배 한 대 피워도 됩니까?"

"창문만 내리지 마십시오."

한숨을 내쉰 종혁은 담배를 물며 잔뜩 얼은 최재수의 뒤통수를 후려쳤고, 정신을 차린 최재수는 떨리는 손으로 담배를 물었다.

그러는 사이 차량은 목적지인 호텔에 도착했고, 린치는 종혁에게 세 개의 여권과 소위 007가방이라 말하는 가방을 내밀었다.

"여러분이 이곳에서 쓸 신분증과 서류입니다. 현재 아프간에선 한국인이 호텔에 출입을 할 수가 없어서 부득이하게 마련해 봤습니다. 그리고 이 가방 안에 있는 건 가지고 다니시는 게 좋을 겁니다."

"감사합니다."

"아닙니다. 그럼 내리시죠."

차에서 내린 그들은 호텔 프런트로 향했고, 대신 체크인을 한 린치는 종혁에게 손을 내밀었다.

"이제부터 어떻게 하실 생각이십니까?"

"뭐…… 현장부터 둘러봐야 하지 않겠습니까?"

어차피 협상단에 접근을 할 수도 없고, 혹여 접근을 할 수 있다고 해도 할 수 있는 게 없어서 손가락만 빨고 있어야 한다.

그럴 바에는 뭐라도 하는 게 나았다. 형사의 방식대로.

차라리 CIA보고 도와 달라고 하면 좋겠지만 그건 무리였다. 이들도 할 수 있는 게 없는 건 마찬가지고, 무리를 하게 되면 CIA도 인명 피해가 발생하게 될 터.

"역시 그렇군요. 알겠습니다. 현지 직원을 한 명 두고 갈 테니 호텔 밖으로 나가실 땐 꼭 이 직원을 대동해 주십시오."

린치는 그러며 히잡을 쓴 아리따운 여성을 보았고, 앞으로 나선 그녀는 종혁의 소매 끝을 살짝 잡았다.

"반가워요, 자말 에르라히미예요. 나의 반쪽."

"……?"

"아하하. 이슬람권에서 여자가 제약 없이 돌아다니려면 곁에 남편이 있어야 합니다. 특히나 이런 전쟁 국가에선 더욱더."

종혁의 눈이 동그래졌다.

\* \* \*

쿠궁!

"끄으으!"

희미한 폭발음 소리에 눈을 뜬 종혁은 침대 끝을 잡고 몸을 거꾸로 세웠다.

구그그그!

깨어나는 근육들과 함께 다져지는 정신.

언제 총탄이 날아올지 모르기에 종혁의 눈매가 매섭게 굳어진다.

"푸하!"

이른 아침부터 땀을 한 바가지 쏟아 내며 운동을 마친 종혁은 옆방의 오택수와 최재수를 깨웠다.

"밤에 잠들은 잘 잤어요?"

"……어우씨, 이 동네 술 왜 이렇게 독하냐?"

"살려 줘요……."

왠지 술이 아니면 잘 수 없을 것 같아서 어젯밤 아프가니스탄에서 판매하는 로컬 위스키를 한 병씩 마시고 기절하듯 잠든 그들.

끼익!

그때, 옆방의 문이 열리며 자말이 걸어 나온다.

"카불에서의 첫날은 어땠나요?"

"자말이 생각나서 잠이 잘 안 오더라고요."

멈칫!

"당신은 여성에게 무서운 사람이었네요, 여보."

"당신은 아침부터 아름답고요."

"……."

짓궂게 웃은 종혁은 그녀와 함께 레스토랑으로 향했

고, 최재수는 그런 종혁을 보며 부러움에 몸을 떨었다.

'나도…….'

이목구비가 시원시원한 미녀, 자말.

딱 최재수의 스타일이었다.


간단히 식사를 마친 그들은 준비를 마치고 바로 달란트의 대학생들이 봉사 및 포교를 한 빈민가로 향했다.

"김오철 목사입니다."

그동안 마음고생이 심했던 듯 몰골이 말이 아닌 목사.

"최종혁입니다. 고생하셨습니다."

울컥!

배 속 깊은 곳에서부터 억울함과 설움이 치솟는다.

"하, 진짜!"

대체 왜 이런 일이 벌어진 걸까.

그렇게 말리고 말려도 왜 그딴 짓을 해서 애꿎은 교인들을 힘들게 만드는 걸까.

자신들이 어떤 각오로 아프간에서 선교를 하는지도 모르는 사람들이 대체 왜! 왜! 왜!

'너희들 마음 편하자고 한 짓 때문에 지금……!'

이들로 인해 최대한 온화하게, 진심으로 다가서려 했던 이들마저 배척을 받고 있었다.

이들이 벌인 행동은 이들의 문제만으로 끝나는 것이 아니었다.

"후우우. 감사합니다. 그리고 그들을 지키지 못해 죄송합니다.”

“목사님께서 죄송하실 건 없습니다. 모두 그들이 자처한 일인걸요.”

“아니……”

종혁의 따뜻한 위로에 목사의 눈시울이 다시 붉어진다.

한국 정부의 협상단이 왔을 때 불려 가서 왜 이 빈민가에서 봉사활동을 하게 했냐, 왜 말리지 않았냐 등 온갖 소리를 들어서 더 그랬다.

“저기에 저희 교회가 있습니다! 여긴 원래 저희가 매달에 한 번씩 봉사를 하던 곳이란 말입니다! 그동안 구호품을 나눠 주면서 주님께 감사하라는 소리도 안 했고! 교회에 오라는 소리도 안 했습니다! 그저…… 그저 저 힘들고 고통받는 사람들에게 힘내시라고 주님의 말씀만…….”

당신들이 이렇게 힘듦은 분명 신이 나중에 중히 쓰기 위해서다, 신에게 뜻이 있을 거다 그 정도의 말밖에 안 했다. 어떤 주님이라고도 말 안 하고, 정말 딱 그 정도만…….

“으허엉!”

종혁은 결국 터져 버린 그의 어깨를 토닥였고, 한참을 울던 목사는 겨우 정신을 수습하곤 종혁에게 감사의 뜻을 담아 목례를 했다.

“그럼 무함드라는 놈과는 원래부터 알던 사이셨습니까?”

목사는 고개를 저었다.

“그러면 왜…….”

“저기 빈민가에 사는 저희 교회의 교인이 친구가 일자

리를 구하고 있다며 추천하더군요."

그게 협박에 의한 거짓말이었다는 건 얼마 전에야 밝혀진 사실이다.

종혁은 눈을 빛냈다.

"그 사람도 혹시 달란트와 함께 봉사를 했습니까?"

"으음. 아니요. 그런 적은 없습니다. 그 형제님은 택시회사에 소속된 무면허 택시기사라 새벽부터 저녁까지 운전을 하지 않으면 가족을 부양하기도 힘든 처지입니다."

"……신기하네요."

무면허인데도 택시회사에 소속된 건 그리 놀랍지가 않다. 지금 당장이라도 옆에서 폭탄이 터질 수 있는 나라인데 뭐가 정상적일까.

'그러면 도대체 어떻게 알고 접근한 거지?'

새벽의 등불, 무함드는 그 택시기사가 어떻게 교회의 교인이라는 것을 알고 접근했던 것일까.

코를 긁적인 종혁은 빈민가의 입구에 서서 안쪽을 주욱 둘러봤다.

"웅성웅성."

"꺄르르르르!"

시궁창과 오물 냄새가 가득 풍겨 오는 이곳도 사람이 사는 곳이라는 듯 사람들이 자아내는 평온한 소란과 아이들의 웃음소리가 있다.

"와아아아!"

종혁은 다 낡은 축구공을 몰며 이쪽으로 달려오는 아이

들에 슬쩍 옆으로 비켜섰다.

하지만…….

퍽!

"억?!"

풍경에 시선이 팔려 비켜서지 못한 최재수가 아이들과 부딪쳐 넘어진다.

"악!"

"헉!"

"죄, 죄송합니다!"

아프간의 언어인 다리어로 말하며 미안한 표정을 짓는 아이들.

"아하하. 괜찮아. 돈 워리. 돈 워리. 너흰 어디 안 다쳤니?"

"어이구. 저것도 형사라고…….."

고개를 저으며 그들에게 다가간 종혁은 최재수와 부딪친 소년을 일으켜 세웠다.

"괜찮니?"

종혁의 능숙한 다리어에 깜짝 놀라는 아이들.

소년은 멍한 눈으로 고개를 끄덕였다.

"네, 전 괜찮아요. 감사합니다."

"그래? 그럼…….."

뿌득!

"컥!"

소년과 그 옆 다른 작은 아이의 뒷목을 부숴 버릴 듯

강하게 움켜쥐는 종혁의 손.

"쟤 지갑은 내놓을래? 이 아저씨가 웬만하면 봐주는데, 요새 기분이 좀 더러워서 말이야. 품 안에 있는 칼 뺐다가는 죽는다."

종혁의 눈이 맹수처럼 살벌하게 빛나고 있었다.

철렁!

죽는다. 정말 죽는다.

소년은 순간 죽음의 공포를 느꼈다.

마치 거인이 움켜쥔 듯 목이 부러질 것 같은 고통 때문이 아니다.

자신을 바라보는 저 눈빛.

저건 사람을 죽여 본 사람만이 가질 수 있는 눈빛이었다.

빈민간에 살며 저런 눈을 여러 차례 봐 왔던 소년은 그의 말이 단순한 공갈이 아님을 알았다.

소년은 황급히 품을 더듬더듬 뒤졌다.

"여, 여기요."

"……그래, 잘했다."

대견하다는 듯 웃어 준 종혁은 소년의 머리를 후려쳤다.

빠악!

"아악!"

머리를 움켜쥐며 주저앉은 소년은 억울한 표정으로 종혁을 봤고, 그런 소년을 일견한 종혁은 주춤거리며 소년의 주위로 몰려드는 아이들을 살폈다.

얼마나 못 먹고 못 씻은 건지 깡마르고 꾀죄죄한 아이들.

이 어린 것들이 오죽 먹고살기 힘들면 도둑질을 하게 됐을까.

그 생각이 목에 걸린 가시처럼 신경 쓰이게 한다.

'에라이.'

"쯧. 따라와."

"예?"

종혁은 의아해하는 소년을 무시하며 근처의 마트로 향했고, 당황한 소년들은 우물쭈물하며 종혁의 뒤를 따랐다.

"어서…… 어느 나라 사람입니까?"

양복을 입은 사람이 들어오자 환한 미소를 지었다가 종혁의 얼굴을 보곤 대번에 낯빛을 굳히는 늙은 마트 주인, 아니 철사나 못 따위 등 이것저것이 다 있는 잡화점 주인.

'진짜 여기서 뭔 짓을 한 거냐, 새끼들아.'

두려움이 아니라 적개심이 잡화점 주인의 얼굴에 가득하다. 한국인에게 유감이 많다는 소리다.

종혁은 어쩔 수 없이 린치가 마련해 준 가짜 신분을 말하기 위해 입을 열려고 했는데, 그보다 자말이 먼저 나섰다.

"불쾌하군요. 내 남편의 아버지는 아프간인이고, 어머니는 태국계 미국인이에요. 사는 곳은 미국이며, 우리나라에서 청금석과 보석을 사다가 미국에 파는 사업가이기도 하죠!"

당당하게 외치는 그녀의 모습에 종혁은 살짝 놀랐고, 자말은 그런 종혁을 향해 윙크를 했다.

'휘유.'

"……어흠흠. 태국이 어딘지 모르겠지만 외탁을 많이 했나 보군요."

얼굴을 붉힌 잡화점 주인은 괜히 뒤따라온 소년에게 버럭했다.

"내가 언젠가 이렇게 당할 줄 알았다, 하밀! 이 망아지 같은 꼬맹이!"

움찔!

"됐으니까 여기 이거나 받으세요."

잡화점 주인은 종혁이 내미는 지폐 뭉치에 깜짝 놀랐다.

아프가니도 아닌 100달러 지폐들.

"앞으로 이 애들이 오면 이걸로 계산해 주세요. 달마다 돈을 보낼 테니 계좌번호도 적어 주시고."

"억?!"

"뭐해. 먹고 싶은 거 고르지 않고. 아니면 여기 주인아저씨만 공돈 버는 거다."

"흐, 흩어져!"

"으응!"

아이들은 다급히 작고 허름한 잡화점 안으로 흩어져 닥치는 대로 품에 끌어안기 시작했고, 자말은 킬킬 웃는 종혁을 기이하다는 듯 응시했다.

"오늘 못 사면 내일 사도 되니까 가져갈 수 있을 만큼 가져와라!"

푸다닥!

마구잡이로 끌어안던 것들을 내려놓는 아이들의 모습에 다시 웃은 종혁은 서늘한 눈으로 잡화점 주인을 봤다.

"사장님, 내 돈 꿀꺽하지 않는 게 좋을 겁니다."

혹시 모르기에 종혁은 허리춤 홀더에 꽂아 놓은 린치가 준 권총을 보여 줬고, 잡화점 주인은 마른침을 삼키며 고개를 끄덕였다.

제아무리 착한 사람이라도 매달 2천 달러면 눈이 돌아갈 수밖에 없을 터. 이곳 아프간에서 매달 2천 달러면 인생을 고칠 수 있는 돈이었다.

"여, 여기요!"

"이거 담아 주세요!"

종혁은 눈이 돌아간 귀여운 아이들의 모습에 흐뭇하게 웃으며 담배를 물었다.

이후 근처 약국과 정육점에서도 똑같은 행동을 한 종혁.

"안녕히 가세요-!"

늙은 약사의 열렬한 배웅을 받으며 약국을 나온 종혁은 하밀이라는 소년을 봤다.

"왜? 뭐? 왜 도와주냐고?"

"아, 아니……."

자신들에게 왜 이러는 걸까.

자신들은 주머니를 털려고 했던 도둑들인데. 거기다 종

혁은 방금 전에 자신을 죽이려고 했었는데.

종혁은 할 말이 많아 보이는 하밀을 바라보며 계속 물고 있던 담배에 불을 붙였다.

찰칵! 치이익!

"아저씨도 이런 곳에서 자랐거든."

흠칫!

깜짝 놀라 종혁을 보는 소년과 아이들.

자말도 놀라 종혁을 본다.

"너희처럼 언제나 못 입고, 못 먹고……."

종혁은 한쪽 무릎을 꿇으며 소년과 시선을 마주쳤다.

그리고 그 심장에 주먹을 가져다 댔다.

"꼬마야, 사람이 좆같고, 나라가 좆같고, 세상이 좆같은 게 아니다. 네가 스스로를 그렇게 속이는 거지."

쿵!

작지만 큰 울림.

"죽을 것같이 힘들어도 이 악물고 부딪쳐 봐."

"……그, 그럼 당신처럼 될 수 있어요?"

"글쎄? 내가 워낙 잘나야 말이지."

"그게 뭐예요……."

"뭐긴 뭐야. 대가리 터지도록 부딪쳐 보라는 거지. 세상이 깨지든 네 대가리가 깨지든. 뭐든 일단 한 번 부딪쳐 볼 가치는 있잖아?"

소년과 아이들의 머리를 헤집은 종혁은 몸을 일으켰다.

"그럼 간다. 나중에 볼 수 있으면 또 보자."

소년과 아이들은 멀어지는 종혁을 멍하니 응시했고, 자말은 후련해하는 종혁을 보며 우물쭈물해 했다.

　"그런 과거가 있는 줄 몰랐어요."

　그녀의 입에서 흘러나오는 능숙한 한국어. 그녀는 영어와 한국어를 구사할 줄 아는 인재였다.

　"아, 그거요? 구란데요?"

　"예?"

　"푸하핫. 야, 이번 건 좀 더 그럴듯했다?"

　"그렇죠? 어려서 없이 살아서 그러나? 아! 야, 최재수. 받아."

　지갑을 던진 종혁은 냅다 최재수의 머리를 후려쳤다.

　"아아악!"

　"형사란 새끼가 저런 꼬맹이한테 주머니나 털리고 말이야. 너 이거 한국이었으면 시말서 썼어. 알아?"

　"죄, 죄송합니다!"

　"야, 더 때려. 몇 대 더 때려."

　"이 씨……."

　"씨? 씨이?"

　어제의 공항에서처럼 다시 투닥거리는 그들.

　자말은 격의가 없는 그들의 모습을 기이하다는 듯 응시했다.

　"그런데 정말 이대로 가는 건가요?"

　정말 이대로 베풀고만 가는 걸까.

　"아."

그녀가 무슨 말을 하려는 건지 알아들은 종혁은 혀를 찼다.

"국정원과 CIA, 이 동네 정보기관에다 경찰들이 싹 다 뒤집어 놨을 건데 저런 꼬마들에게 물어봐서 뭐해요."

이미 놈들의 진입 경로와 퇴주로 정도는 알아냈을 그들. 이런 상황에서 괜히 물어보는 건 종혁 본인이 아프간에 있다는 걸 광고하는 꼴밖에 안 된다.

그랬다간 장기 출장을 승인한 함경필 국장이 피를 본다.

"거기다 시선들도 무쟈게 느껴지고."

흠칫!

"……알고 계셨나요?"

종혁은 싱긋 웃었다.

"범인은 현장에 다시 나타난다. 그건 경찰에게도 통용되는 말입니다."

지금 느껴지는 시선들 중 경계와 적개심이 어린 시선을 제외한 다른 시선들은 모두 정보기관, 혹여 놈들이 다시 나타날까 정보기관에서 박아 둔 요원들일 게 분명했다.

'어쩌면 협력자들일 수 있고.'

"그럼 이제 뭘 하시려는 거죠?"

"일단 여기서 할 일은 없으니……."

"택시 드라이버."

종혁과 오택수, 자말의 시선이 최재수를 향해 모인다.

"맞죠?"

짜악!

"악! 왜, 왜 때려요!"

"기특해서 그런다, 인마. 기특해서. 햐, 이 자식 언제 형사 되나 했는데…….."

오택수의 감탄에 종혁도 동감이라는 듯 웃는다. 이젠 제법 머리가 돌아가고 있다.

종혁은 의아해하는 자말에게 입을 열었다.

"왜 하필 그 택시기사였을까요."

놈들은 대체 그 택시기사가 교회를 다닌다는 걸 어떻게 알았을까.

아니, 우연이든 뭐든 알았다고 해도…….

고작해야 이틀이다. 새벽의 등불이 달란트를 목표물로 삼은 후 통역사 무함드를 달란트에 붙이기 위해 택시기사를 협박하는 데까지 걸린 시간이.

"그것도 하루 온종일 밖에서 일하는 택시기사를 협박해서 말이죠."

"아!"

종혁은 소스라치게 놀라는 그녀를 보며 피식 웃었다.

"너무 놀라는 척하지 맙시다."

움찔!

"……들켰나요?"

"내가 생각한 걸 정보기관이 떠올리지 못했을 리 없잖습니까. 밥 먹고 사람 뒤나 약점 파는 것만 연구하는 사람들이."

정답이다. 이미 그 택시기사에게는 아프간, 미국, 한국의 정보기관 요원들이 붙어 감시하고 있는 상황이다.

풀썩 웃은 자말은 어쩔 수 없다는 듯 어깨를 으쓱였고, 종혁은 역시 정보기관 사람은 믿을 수 없다는 듯 고개를 저었다.

"그럼 이제 어떡할 건가요?"

만약 택시기사의 뒤를 쫓는다면 종혁은 국정원의 감시망에 걸릴 거다. 그럼 강제 출국이었다.

"어떡하긴 뭘 어떡합니까. 서포트해야지."

강제 출국을 당하지 않고도 할 수 있는 짓.

이런 거라도 해야 했다. 그래야 마음이 놓일 것 같았다.

"……네?"

종혁은 침을 꼴깍꼴깍 삼키며 귀를 기울이는 김오철 목사를 봤다:

"목사님."

"아! 예, 예!"

"이 동네 사람들도 잔치 좋아합니까?"

"……예?"


\* \* \*


터벅터벅.

할랄푸드 마크가 찍힌 음식이나 약 등을 양손 가득 든 채 집으로 향하는 소년, 하밀이 생각에 잠겨 있다.

'세상에 부딪쳐라. 날 속이지 마라.'

해 주는 거 없이 훈계만 늘어놓는 어른의 잔소리가 아닌 가슴에 와닿는 말.

'세상에…… 세상을 향해…….'

하밀의 생각이 깊어지는 순간이었다.

"하밀 형."

고개를 돌린 하밀은 미소를 지었다.

"핫산."

근처에 홀어머니와 함께 사는 작은 소년 핫산.

며칠 전 누구에게 얻어맞은 건지 얼굴을 비롯한 온몸 여기저기가 멍과 딱지투성이다.

"몸은 좀 괜찮아? 열은 내렸어?"

하밀은 핫사의 이마에 손을 얹으며 걱정 어린 시선을 보냈다.

"으응. 괜찮아. 그런데 한탕 한 거야? 부럽다……."

"부럽긴. 이제 안 할 거야."

"응? 왜?"

종혁처럼 되고 싶어서다.

이런 곳에서 살았음에도 그렇게 성공한 종혁. 심지어 아리따운 부인이 스스럼없이 발언을 하는데도 애정으로 바라봐 주는 그 모습이 너무 멋져 보였다.

하지만 이걸 말하기에는 좀 부끄러웠다.

"아, 아무튼 그럴 거야! 그보다 아주머니는 괜찮으셔?"

"응! 기침이 많이 줄었어!"

어젯밤엔 겨우 두 번밖에 깨지 않았다.

"그래? 어디 한번 보자. 아주머니 약도 사 왔으니까."

하밀은 놀라는 핫산을 데리고 핫산의 집으로 향했다.

"콜록! 하밀 왔니?"

"안녕하세요, 아주머니. 기침은 좀 괜찮으세요?"

"하밀이 걱정해 줘서 좀 나아졌단다. 어머니는 괜찮으시니? 태어난 아이는?"

얼마 전 출산을 한 이후 그 후유증에 힘들어하는 하밀의 어머니. 하밀은 그저 어색하게 웃는 걸로 대답을 대신했다.

"휴. 출산한 산모는 잘 먹어야 하는데⋯⋯. 아버지에게 말해 보는 게 어떠니? 택시 일을 하시니까 고기 한 덩이 정도는 살 수 있잖니."

움찔!

아버지. 어느 순간 가족을 내팽개친 증오스런 이름.

미간을 좁힌 하밀은 빨리 화제를 돌렸다.

"이건 아주머니 약이에요."

"하밀! 너 또⋯⋯!"

"아, 아니에요. 어떤 분께서 사 주신 거예요. 신께 맹세할 수 있어요!"

"그렇다면 다행이지만⋯⋯. 그래도 조심하렴."

핫산의 어머니는 하밀이 든 봉지를 뚫어져라 보고 있는 핫산을 힐끔 보곤 말을 이었다.

"이 동네엔 이교의 동정을 받았다고 못된 짓을 하는 사람도 있거든."

"괜찮아요. 그분은 우리나라 사람이거든요."

"……그럼 다행이구나. 고맙다. 잘 먹을게. 이 은혜를 어떻게 갚아야 할지……."

"뭘요. 저희가 힘들 때 아주머니가 해 주신 게 얼마나 많은데요."

몇 년 전 아버지가 갑자기 돌변하며 가정을 돌보지 않게 된 이후 힘들어졌던 가족들.

다른 이들이 모두 외면할 때 오로지 하루 종일 일해야 겨우 하루 빌어먹는 빨래일을 하는 핫산의 어머니만 자신들을 도왔다. 자신들보다 훨씬 힘들게 사는 핫산의 어머니만이.

그 은혜를 이제야 갚을 수 있단 생각에 활짝 웃은 핫산은 들고 온 물건의 반절을 부엌 여기저기에 밀어 넣었다.

"그럼 가 볼게요. 나오지 마세요."

일어나려는 핫산의 어머니를 말린 하밀은 집을 나섰고, 핫산은 그런 하밀의 뒤를 쫓았다.

"고마워, 형."

"됐어. 그런데 대체 어떤 개자식한테 그렇게 맞은 거야?"

대체 누구에게 맞은 건지 아무리 물어도 여태껏 대답을 하지 않았던 핫산.

"……전사."

"탈레반?"

끄덕.

"……또?"

또 탈레반.

탈레반은 왜 계속 자신들과 얽히는 걸까.

"이름은?"

"파미르."

철렁!

"파, 파미르?"

"응. 파미르라고 했어. 혀, 형! 하지 마. 그 전사들 엄청 무서운 사람들이야!"

"아, 아니……."

왜 하필 파미르라는 이름일까.

그 순간이었다.

"여보! 얼른 나와!"

"알리! 얼른 나오렴, 알리!"

갑자기 부산해지는 빈민가에 놀라 눈을 껌뻑이는 하밀과 핫산.

"어, 어떤 부자가 공터에서 잔치를 연대! 의사들도 불렀대! 어서 나와!"

'어떤 부자? 설마……?'

하밀은 다급히 빈민가의 입구 쪽을 바라봤다.

종혁과 만나고 헤어졌던 그곳을.

\* \* \*

언제나 굶주리는 게 일상인 빈민가에 커다란 솥들이 걸

리고, 한쪽에선 고기가 구워진다.

생김새만 다를 뿐 한국의 시골 잔치 풍경과 다를 게 없는 모습.

"언제 폭탄이 터질지 모르는 이곳에도 웃음이 있네요."

종혁의 입가에 미소가 피어올랐다.

그 순간이었다.

지이잉! 지이잉!

-이, 이게 뭐하는 짓입니까. 최 팀장!

"오, 역시 들켰네. 뭐긴 뭡니까. 내 나름대로 민심을 다스려 보겠다는 거지."

-미쳤어? 지금 상황 몰라?!

"아니까 이러는 거 아닙니까. 이 동네 민심 가라앉히지 않고도 그 택시기사가 빈민가에서 뭘 하는지 알 수 있을 것 같아요?"

-…….

택시기사가 일할 때야 감시가 수월할 거다.

하지만 퇴근 후에는?

외부인이 나타나면 바로 알아차리는 게 이런 폐쇄적인 동네의 특징이다. 저들의 감시에는 공백이 있을 수밖에 없었다.

"나도 가만히 있을 수 없어서 하는 짓이니까 이해해 줘요. 씨발. 뭐라도 해야지. 곧 외지인이 돌아다녀도 아무렇지 않아 할 환경을 만들 테니 그냥 지켜나 봐요."

-……하아. 출국 기록을 보니 어제 들어온 것 같은데

어디서 잔 겁니까?

"아, 그게……."

"오, 해리!"

-리, 린치? 옆에 그 사람 카볼 지부장 맞죠?!

"끊습니다."

종혁은 활짝 웃으며 린치의 손을 붙잡았다.

"왔어요? 무리한 부탁을 들어줘서 고마워요."

"하하. 아닙니다."

종혁이 무슨 짓을 하려는지 눈치챘기에 린치는 웃을 수 있었다.

"아, 이쪽 분이?"

"인사해요. 아흐메트 씨입니다. 아프간에서 꽤 유명한 외과의시죠."

TV에 몇 번 소개될 정도로 유명한 외과의 아흐메트.

그러다 3년 전 돌연 퇴직해 아프간 전역을 돌아다니며 의료 봉사를 하는 의인이다. 마침 카볼에 있기에 요청을 했는데 역시나 의인답게 망설이지 않고 응해 줬다.

놀란 종혁은 의사 가운을 입은 노인을 향해 손을 내밀었다.

"이렇게 와 주셔서 감사합니다."

"허허. 아닙니다. 그런데…… 혹시 한국인이십니까?"

종혁은 살짝 놀랐다.

'외국인은 동양인을 잘 구분하지 못할 텐데?'

"조모님께서 한국인이십니다."

"그러셨군요……."

"음?"

"아닙니다. 정말 훌륭한 일을 하시는 겁니다. 그럼."

씁쓸히 웃으며 고개를 저은 아흐메트는 몰려든 사람들을 주욱 둘러보곤 뒤따라온 의사들을 향해 일갈했다.

"뭣들해! 환자들이 기다리고 있잖아!"

"예!"

의사들은 우르르 사람들을 향해 몰려갔고, 종혁은 고개를 모로 기울였다.

"뭔가 사연이 있어 보이네."

"아들을 폭탄 테러로 잃은 이후 의료 봉사를 하고 있습니다."

"아, 저런……."

대체 이놈의 전쟁은 언제까지 계속되어야 성이 차는 걸까.

참 지랄 맞았다.

"아, 아저씨 한국인이셨어요?"

어느새 다가온 하밀이 떨리는 눈으로 응시한다.

"왔냐? 내가 한국인인 게 아니라, 조모님이 한국인이라고. 그보다 옆에 계신 분은 어머니? ……누가 어머니셔?"

하밀의 뒤엔 두 명의 여성이 있었다.

"그리고 그 꼬마는 몰골이 왜 그렇고. 네가 때렸냐? 이 자식이 형이라고 동생을 저렇게까지 때리고……."

"아니거든요!"

"후후. 오는 길에 이야기 들었습니다. 저희 아이가 큰 실례를 끼쳤다죠? 제가 대신 사과드릴게요.

"저도 덕분에 약을 먹을 수 있었어요. 감사해요. 이 아이는 핫산이고요."

"아닙니다. 앞으로만 안 그러면 되죠. 그런데…… 산후 후유증이 심하시네요."

굉장히 부은 얼굴과 손. 살이 찐 게 아니라 붓기가 빠지지 않은 거다. 아마 땡기고 쑤셔서 밤에 잠을 이루지 못할 거다.

"어머?"

"이쪽으로 오시죠. 아드님도요."

종혁은 그들을 아흐메트 앞으로 안내했다.

진료를 할 준비를 하느라 바쁜 그들.

"아흐메트 씨, 이분들부터 봐주실 수 있겠습니까?"

"오, 이런. 어서 앉으십시오! 아이르! 와서 도와라!"

"예!"

여의사가 달려오자 종혁은 그제야 물러나 린치를 봤다.

"상주할 의사들은 대기시켰죠?"

"후후. 역시 그런 의도였군요. 걱정 마십시오. 이미 준비해 놨습니다."

이제 CIA가 준비한 의사, 아니 의료 지식을 갖춘 요원이나 현지 협력자들이 이 빈민가를 누비며 택시기사를 감시하게 될 거다.

'택시기사가 새벽의 등불과 상관이 없다면 그저 시간 낭비만 하는 것이지만…….'

이런 거라도 하지 않고서는 견딜 수가 없다.

"저…… 아저씨."

"왜? 아니 그보다 저 꼬맹이는 누구한테 맞은 거냐? 설마……."

가정폭력.

한 가지 가능성을 떠올린 종혁의 눈이 서늘해진다.

"아, 아니에요. 그리고 그, 그것 때문에 할 말이 있는데……."

"뭔데?"

"아저씨는 우리나라에서 보석을 사다가 파신다고 했잖아요. 그럼 높은 사람들과도 어울리겠네요?"

"뭐 그렇지?"

종혁은 그렇게 대답했지만 약간 서글펐다. 이런 어린아이가 어째서 어른들의 사정을 아는 걸까.

"그럼……."

하밀이 입술을 깨물며 갓난아기 막냇동생을 안고 있는 어머니를 본다.

마치 기다렸다는 듯 여의사에게 아픈 곳을 말하는 어머니. 그러며 막냇동생부터 진찰해 달라고 말하는 어머니.

그리고 칭얼거리는 동생들.

"탈레반에 빠진 사람을 알려 주면 아저씨에게 도움이 될까요?"

"탈레반?"

종혁의 눈빛이 진지해진다.

갑자기 탈레반이 여기서 왜 나오는 걸까.

"……누군데?"

하밀은 이를 악물었다.

말을 꺼낸 이상 이젠 돌이킬 수 없다.

종혁이 언제까지 돌봐 줄지는 모르지만, 3개월만 도와 줘도 하밀 본인은 일자리를 구할 수 있을 거다.

'그럼 아버지는 더 이상 없어도 돼!'

탈레반의 사상에 빠져 가족을 등한시하는 아버지는, 탈레반과 얽힌 것만으로도 극형을 받는 이 나라에서 탈레반을 따르며 가족을 위험에 빠트리는 아버지는 더 이상 필요가 없었다.

'엄마랑 동생들을 위해서야!'

결단을 내린 하밀은 입을 열었다.

"내 아버지요. 그리고 파미르라는 남자요."

쿠웅!

"뭐?"

우당탕!

"선생님!"

아버지란 말에 화들짝 놀랐던 종혁은 갑자기 넘어진 아흐메트를 의아한 눈으로 응시했다.

\* \* \*

빠앙! 빵빵!

오토바이와 차들로 번잡한 도로 위.

허름한 택시에 앉은 택시기사, 하밀의 아버지 샤리프가 차창 밖으로 고개를 내밀고 크게 소리친다.

"비키라고! 비켜! 도로 전세 냈어?! 하하. 잠시만 기다려 주십시오."

뒤의 승객에게 웃어 준 샤리프는 다시 고개를 내밀곤 빼빼 소리를 지르며 클락션을 눌렀고, 택시는 거북이가 기어가는 것보다 느리게 나아가 겨우 목적지에 도착할 수 있었다.

"감사합니다. 신의 은총이 형제님과 함께하길!"

떠나는 승객에게 손을 흔들어 준 샤리프는 손에 쥔 지폐를 보며 작은 미소를 지었다.

"역시 공항이 좋긴 좋구나."

특정 택시회사의 특정한 기사들만 출입할 수 있는 카불 국제공항. 원래부터 이 택시회사 소속이긴 했는데, 공항 출입을 허가받은 건 정말 우연이었다.

'아니, 모두 지도자님께 선택을 받은 덕분이지.'

어느 날 자신을 찾아온 새벽의 등불에 가입한 이후부터 일평생 꼬여만 있던 운이 풀리고 있다.

"신께서 나를 돌보심이니……."

지이잉! 지이잉!

누가 감히 이 신성한 시간을 방해한단 말인가.

거칠게 핸드폰을 꺼냈던 샤리프는 묘한 표정을 지었다.

아내다. 못난 자신을 만나 일평생 고생만 한 아내.

─여보, 어디에요? 밥은 먹었어요?

"곧 먹을 거야. 그런데 어디야? 왜 이렇게 시끄러워?"

─아, 그게요……

아내 야스민은 오늘 있었던 일을 설명했고, 샤리프는 눈매를 좁혔다.

"청금석을 미국에 파는 사업가?"

─네! 돈이 엄청 많아 보이는데 아내도 무척이나 예뻐요.

"……한국인이야?"

─아니요! 약사 아저씨가 말하길 아버지가 우리 아프간 사람이고, 어머니가 태국인이래요!

"태국은 또 어디야?"

─동남쪽의 어디라는데……

'중국 옆에 있는 나라인가?'

"뭐 됐고. 애들은 어디 아픈 곳 없어?"

─네. 저도 몸조리만 잘하면 된대요.

"알았어. 끊어. 밥 먹어야 돼."

퉁명스럽게 전화를 끊은 샤리프는 한숨을 내쉬었다.

매번 그러지 말아야지, 말아야지 하면서도 말이 퉁명스럽게 나온다.

'조금만 참아. 곧 알라의 뜻을 받드는 진정한 전사들이 다시 이 땅을 수복할 테니까.'

저 간악한 미국에 의해 알라의 땅 아프간에서 물러나게

된 탈레반 형제들.

이제 얼마 남지 않았다. 알라께서 자신들을 돌보심이니 이 아프간에도 다시 알라의 은총이 내리게 될 거다.

'그땐 행복하게 살자. 그러니 조금만 참아 줘.'

지금의 궁핍함은 내일의 풍족함으로 돌아오리니.

현명한 아내라면 후에 자신의 이 행동을, 가족을 돌볼 수 없는 모습을 이해해 줄 것이다.

지이잉!

"또 누가……."

광고성 스팸문자.

하지만 돌연 눈빛이 차가워진 샤리프는 차를 몰아 어느 식당으로 향했다.


도심지 중심에서 살짝 벗어난 곳에 위치한 작고 허름하지만 손님들로 가득한 식당.

"팔라우랑 와인 한 잔 주세요."

"예!"

양고기와 쌀을 섞어 만든 아프가니스탄 전통 음식, 팔라우.

주인이 내온 뜨거운 수건으로 손을 닦은 샤리프는 마치 피곤하다는 듯 고개를 뒤로 젖히며 마른세수를 했다.

"저희 동네에 웬 사업가가 적선을 하고 있는 걸 제외하면 지금까진 별다른 일 없습니다, 형제여."

움찔!

"사업가?"

샤리프는 아내에게 들은 말을 그대로 전했고, 샤리프의 뒤에 앉아 등을 보이는 사내 파미르는 눈빛을 가라앉혔다.

'CIA? 아니야. 그놈들은 아닐 거야.'

한국이 협상에 응하려는 모습을 보이자 극렬하게 반발했던 미국. 그런 미국이 한국을 위해 움직일 이유가 없었다.

실제로 한국 정보기관이 자신들을 추적할 때 미국은 손을 거들지조차 않았다고 했다.

'우리를 쫓기 바쁜 한국 정보기관은 당연히 아닐 거고…….'

"흠. 혹시 모르니까 일단 알아봐요. 티 나지 않게."

이번 일의 진행에 있어서 작은 실수가 있었다.

무함드를 이교의 무리 사이에 심을 때 지나치게 서두른 것.

아마 정보기관들은 이 이상함을 눈치채고 샤리프를 감시하고 있을지 모른다.

"알겠습니다. 그런데 그보다 언제까지 이교의 신을 입에 담아야 하는 겁니까?"

"신이 형제를 부를 때까지."

그건 아마 이번 일이 끝난 후 아프가니스탄 내에 있는 모든 기독교인들이 한자리에 모일 때일 것이다.

이를테면 크리스마스나 부활절.

"끙. 알겠습니다."

"신의 뜻이 형제와 함께하길."

"신의 뜻이 형제와 함께하길."

눈을 빛낸 파미르는 몸을 일으켜 뒷문으로 향했고, 샤리프는 어깨를 풀며 때마침 나온 팔라우를 한 손 크게 집어 입에 가져갔다.

그런 샤리프의 눈이 차갑게 가라앉았다.

*　*　*

빈민가에서 잔치가 열리고, 의료 봉사자들이 왔단 소식에 주위 동네 사람들까지 모두 몰려들자 잔치는 결국 밤늦게까지 이어질 수밖에 없었다.

웅성웅성. 왁자지껄!

"해리 모하메드 사장님을 위해 건배!"

"건배!"

"감사합니다, 모하메드!"

마치 오늘이 세상의 마지막 날이라는 듯 부어라 마셔라하는 사람들.

고작 칭찬 한마디로 퉁치려는 그 뻔뻔한 모습들에 풀썩 웃은 종혁은 사람 냄새가 물씬 풍기는 공터를 둘러보다 구석에서 어머니의 무릎을 베고 잠든 하밀을 보며 씁쓸히 웃었다.

아들이 아비를 신고했다.

얼마나 많이 고민하고 괴로워했을까.

가슴이 콱 막힌 듯 답답했다.

정말 빌어먹을이었다.

"아셨습니까?"

"몰랐습니다."

종혁의 옆에 앉은 린치가 맥주병을 건넨다.

심증조차 미비한 상황이라 잡아다 족칠 수도 없는 상황이고, 혹여 새벽의 등불과 연관되어 있다면 더 조심해야 되는 상황이었는데 이렇게 얽어걸릴 줄은 몰랐다.

"동양에선 이런 걸 두고 필연이라고 하던가요?"

"그러게요. 그런 게 있긴 있나 보네요."

우연도 이런 우연이 있을까.

혀를 내두른 종혁은 택시기사 샤리프를 떠올리며 눈빛을 가라앉혔다.

"무슨 의도로 교인이 된 걸까요?"

"아마…… 교회의 교인들이 한자리에 모일 때 테러를 하기 위해서일 겁니다."

10년 전, 탈레반이 정권을 잡고 있을 때 홀연히 아프가니스탄에 넘어와 선교를 시작한 김오철 목사.

당시 이교 탄압에 모든 종교인들이 아프간에서 추방되거나 사살이 됐는데도 김오철 목사는 꿋꿋이 버텼고, 현재는 아프간 기독교인의 중심이 되는 인물이라고 할 수 있었다.

타깃으로 삼기에는 이만한 사람도 없었다.

부르릉!

"양반은 아니네."

린치는 저 멀리에 서는 택시 한 대와 그 안에서 내리자마자 이쪽으로 다가오는 샤리프의 모습에 싱긋 웃으며 몸을 일으켰다.

"그럼 전 이만 가 보죠."

"수고하세요."

린치가 사라지고 잠시 후 종혁은 샤리프가 그의 아내랑 하밀과 함께 이쪽으로 다가오자 엉덩이를 털고 일어섰다.

누가 봐도 이젠 돌아가려는 듯한 모습.

그런 종혁의 앞을 샤리프가 막아선다.

"제 아내와 아들이 오늘 당신에게 큰 신세를 졌다고 하더군요. 정말 감사합니다."

"아닙니다. 그저 변덕이었을 뿐이니까요. 앞으로 자식들 잘 키우세요."

"예, 예. 감사합니다. 아, 이 고맙다는 말을 당신나라의 말로 뭐라고 하죠?"

"땡큐. 영어로 고맙다죠."

"……아, 땡큐. 감사합니다. 그럼 형제의 앞날에 신의 은총이 깃들길."

"형제의 앞날에도 신의 은총이 깃들길."

잠든 하밀을 안아 든 샤리프는 고개를 꾸벅 숙이곤 빈민가 안쪽으로 걸어갔고, 종혁은 그런 그를 보며 재밌다는 듯 웃었다.

"햐. 저 새끼 봐라?"

하마터면 한국어로 고맙습니다라고 말할 뻔했다. 종혁

자신이 한국인, 아니 국정원이 아닐까 물어본 게 분명했다.

'대가리 좀 굴릴 줄 아는 놈이네……. 저런 놈들만 있다면 골치 아파지는데…….'

종혁의 눈이 가늘어지는 순간이었다.

"저……."

종혁의 곁으로 외과의 아흐메트가 다가온다.

'아이고.'

"아직 안 돌아가셨어요?"

내일도 의료 봉사를 해야 하는 사람이, 그것도 의료 봉사단의 수장이 아직도 엉덩이를 뭉개고 있으니 종혁으로선 걱정이 될 수밖에 없었다.

"이제 돌아가려 했습니다. 그 전에 잠시 당신과 대화를 나누고 싶어서요. 미국에서 사업을 꽤 크게 하시나 봅니다."

종혁이 기부한 돈이 무려 10만 달러다.

"왜 저들을 돕냐고요?"

"예."

"불쌍하잖습니까."

아흐메트는 살짝 놀랐다. 보통은 체면을 생각해서라도 하지 않는 말.

"저들이 불쌍하게 느껴지십니까?"

"그럼요?"

교육 환경이 부족해 교육을 받을 기회를 얻지 못하고, 복지가 발달하지 못해 제대로 된 의료 혜택을 받지 못하고, 사회 인프라가 발달하지 못해 가진 바 재능을 펼칠 기회를 얻지 못한다.

이 모든 건 가진 것을, 자원을 제대로 활용하지 못해서다.

"전 세계적으로 90년대를 일컬어 격동의 시기라 부릅니다."

컴퓨터의 보급화로 인해 기술이 급속도로 발전되었고, 인터넷으로 세상이 연결되며 모든 나라가 세계와 경쟁을 하기 시작했다.

세계의 것을 차용해 자국에 도입시키기 시작했다.

"그런데 이 나라는 그놈의 빌어먹을 전쟁 때문에 그 시기를 놓쳤죠."

아프간도 늦지 않았었다. 최소한 소련과의 전쟁이 끝난 이후 정신을 차리고 국가 성장에 주력했다면 아프간도 살 만한 나라가 됐을 거다.

그런데 내전이 일어나고 탈레반이 정권을 잡으며 이슬람 국가와만 교류하고, 과거의 무슬림 사회로 회귀해 국민들을 우민화시켰다.

각료들은 부패하고 국민을 사람으로 여기지 않게 됐다.

"우민화…… 샤리아……."

통렬한 비판에 아흐메트의 낯빛이 굳는다.

"여성이 천대를 받는 사회, 계급이 나뉜 삶, 고리타분하다 못해 시대에 맞지 않은 꽉 막힌 교리 등등…… 그중 제가 가장 열 받는 게 뭔지 아십니까?"

"뭡니까."

"사람들에게 의지가 없다는 겁니다."

쿵!

"기필코 성공하겠다는 의지가 없습니다. 왜 그렇겠습니까?"

모두 열심히 노력해도 지금보다 나아진다는 희망이 없기 때문이다. 나라가, 사회가 그걸 제공하지 못하고 있기 때문이다.

"왜? 안전하지 않기 때문에."

탈레반과의 전쟁 때문이다.

그런데 역설적으로 이 전쟁 때문에 아프간 내에서 탈레반이 자라난다.

"어차피 이래 죽나, 저래 죽나 언제 죽을지도 모르는 삶. 알라의 은총이 가득한 세상을 만들겠다는 탈레반 놈들의 말을 한번 믿어 봐도 좋지 않습니까? 그쪽은 최소한 희망을 주니까요."

쿠웅!

"이런 게 불쌍하지 않으면 뭐가 불쌍할까요."

저들이라고 좋아서 빈민으로 사는 게 아니다. 그럴 수밖에 없기에 빈민으로 사는 거다.

양해를 구한 종혁은 담배를 물었고, 아흐메트는 그런 종혁을 떨리는 눈으로 응시했다.

"그, 그럼 우리가 뭘 해야 할 것 같습니까?"

왜 이런 걸 묻는지 몰라 잠시 의아했던 종혁은 이내 어깨를 으쓱였다.

"이 지긋지긋한 전쟁부터 끝내야겠죠."

"그건……!"

"정말 불가능합니까? 그럴 의지가 없는 게 아니고요?"

"…….."

아흐메트는 순간 숨이 턱 막혔다.

"세상엔 중독이라는 말이 있죠."

아프가니스탄이라는 나라는 참 오랫동안 전쟁에 시달린 나라다.

그런 그들에게 미국이라는 구원자가 나타났다.

탈레반도 미국이 몰아내 줘, 무기와 병력도 지원해 줘, 피를 흘리는 것도 미국이다.

"냉정히 말해서 현재의 아프가니스탄은 미국이라는 방패에 안도해 버린 겁쟁이로밖에 보이지 않습니다."

미국이라는 마약에 중독되어 버린 거다.

이는 회귀 전의 일이 증명한다. 아프간은 미국이 철수하자 단숨에 탈레반에게 밀렸다.

"이 나라의 젊은 청년들도 피를……!"

"그게 보인다면 부정부패를 저지르는 놈들부터 죄다 목을 쳐 버렸어야죠. 이 나라의 주권이 누구에게 있습니까?"

국민이다.

"그 국민을 지켜야 할 사람이 누굽니까?"

군대고 정치인이다. 나라를 위해 목숨을 바치겠다는 각오와 애국심으로 불타는 아프간인들의 군대와 정치인.

"대체 그동안 당신들이 한 게 뭡니까?"

인프라도 제대로 개발되지 않아 먹고사는 것조차 힘든

이 나라를 어떻게든 뜯어먹어 보겠다고 부정부패를 저지른 것밖에 없다.

분열에 분열을 거듭하는 아프간의 내각.

"이러니 탈레반이 만만하게 보고 테러를 저지르고 외국인을 피랍하는 겁니다. 패배해서 쫓겨난 개새끼들 주제에 계속 주인 행세를 하는 거란 말입니다."

"……."

신랄하다. 그런데 반박을 할 수가 없다.

모두 옳은 말이기 때문이다.

종혁은 그렇게 입을 다무는 그를 보며 입맛을 다셨다.

'에고, 폭주했네.'

달란트 피랍으로 짜증도 나고, 저렇게 사는 빈민들의 모습도 답답해 결국 쏟아 내고 말았다. 아흐메트의 잘못이 아님에도 말이다.

"큼. 뭐 제 생각은……."

"소중한 말씀 감사합니다. 그럼 내일 뵙겠습니다."

충격이 컸는지 아흐메트는 비틀거리며 멀어졌고, 종혁은 그 모습을 보며 머리를 벅벅 긁었다.

"에라이. 이놈의 오지랖."

솔직히 탈레반만 없다면 아프간도 굉장히 욕심나는 나라다.

자원이 넘쳐남에도 도로조차 제대로 갖추지 않았기에 투자하는 족족 벌어들일 수 있을 테니까.

"흠. 그런데 저 양반은 왜 온 거야? 분명 뭔가 할 말이 있어 보이는 눈치였는데…….”

그게 아니라면 저 나이에 지금까지 버틴다는 게 쉽지가
않다.

의아해하던 종혁은 이내 생각을 거두며 낯빛을 굳혔다.

“내일이면 사흘째지.”

첫 번째 희생자가 나오고 사흘.

회귀 전에는 첫 번째 희생자가 나오고 사흘 후 두 번째
희생자가 발생했다.

미적거리는 대한민국 정부를 독촉하기 위해 새벽의 등
불은 두 번째 희생자를 만들어 내고, 대한민국 정부의 발
등에 불이 떨어졌다.

“회귀 전과 상황이 다르니 내일 꼭 죽는다는 보장은 없
지만…….”

죽는다면 견딜 수 있을까. 아마 택시기사 샤리프의 대
가리부터 터트려 버릴지도 몰랐다.

“후, 씨발.”

종혁은 부디 그렇게 되지 않기를 간절히 바라며 술을
입속에 처박았다. 어둔 밤하늘의 별이 그런 그를 위로하
듯 반짝였다.


한편 집으로 돌아온 아흐메트는 무너지듯 소파에 앉아
눈을 감았다.

“희망이 없는 이 나라가, 이 사회가, 부정부패한 정치
인들이, 이 나라 지식층이 탈레반을 만든다라…….”

'그랬던 거였니?'

몸을 일으킨 아흐메트는 거실 TV 옆에 뒤집어 놓은 액자를 들어 올리며 서글픈 표정을 지었다.

'그래서 탈레반이 되어 버린 거니?'

"파미르, 내 아들아."

어느 순간 샤리아 사상에 빠져들더니 죽음을 위장해 자신의 곁을 떠나 버린 아들 파미르.

하지만 아비가 어찌 아들의 얼굴을 몰라볼 수 있을까.

폭탄 테러의 주범이라고 TV에 나온 아들의 모습을 본 순간 그는 모든 걸 내려놓을 수밖에 없었다.

"이제 어떻게 해야 할지 모르겠구나."

아들이 탈레반이 되어 버린 후에도 몰랐지만, 이젠 더 모르겠다.

"겁쟁이……. 어느 순간 겁쟁이가 되어 버린 이 아비는 정말 모르겠구나."

이 나라의 지식층 중 한 명으로서 이 나라를 바꾸기 위해 노력한 적이 있던가.

그는 환하게 웃는 아들의 얼굴을 쓸어내리고 또 쓸어내리며 계속 스스로에게 질문을 던졌다.

\* \* \*

새벽의 등불 아지트.

파미르가 누군가와 대화를 나누고 있다.

"한국의 반응은 어떻지?"

가면을 쓴 사내의 말에 파미르가 공손히 대답한다.

"똑같습니다, 지도자님."

겉으로는 계속 시간을 달라는 입장이며, 뒤로는 자신들을 쫓고 있다. 어렵사리 구한 정보에 의하면 한국인들을 납치할 때 썼던 차량이 모두 들통났다고 한다.

물론 그것만 가지고는 자신들을 쫓을 수 없을 테지만, 그래도 섬뜩한 상황이 아닐 수 없다.

"미국이 개입한 흔적은?"

지도자의 질문이 자못 예민하다.

자국민 수천 명이 테러에 죽자 아프가니스탄과 탈레반 형제들을 짓밟고 내쫓은 미국. 그때의 대통령이 아직도 대통령이다.

걱정이 될 수밖에 없었다.

"현재로선 없습니다만……."

말을 줄인 파미르가 눈을 가늘게 뜬다.

샤리프의 빈민가에 온정을 베풀었다는 태국계 미국인 사업가가 아무래도 목에 걸린 가시처럼 거슬린다.

'샤리프가 우리의 형제임이 들통난다고 해도 큰 의미는 없겠지만…….'

말단 조직원에 불과한 샤리프는 조직의 아지트가 어디 어디에 있는지도 몰랐다.

"뭔가 걸리는 게 있나 보군."

"지도자님께서 신경 쓰실 만한 일은 아닙니다."

"……혹시라도 미국이 개입할 명분을 주면 안 될 거야."

미국이 옆에서 툭툭 건드려도 참아야 한다.

미국이 분노하게 만들어선 안 된다.

"우리가 원하는 걸 얻을 때까지는……."

"걱정하지 마십시오."

담담한 파미르의 대답에 알았다는 듯 고개를 끄덕인 지도자는 생각에 잠겼다.

"답을 계속 미루는 걸 보면 한국이 시간을 끌려는 것 같군."

자신들을 찾을 때까지 말이다.

"내일 아침에 한 명 더 죽여. 목사는 말고."

모든 원망을 받고 있다는 목사.

알아서 자신들에게 올 원망을 대신 받아 주니 살려 두는 게 좋을 듯하다.

그래야 인질들을 다루기가 더 쉬워질 테니 말이다.

"예. 적당한 놈을 고르도록 하겠습니다."

"나가 봐."

"모든 것은 신의 뜻대로."

"모든 것은 신의 뜻대로."

파미르가 나가며 문이 닫히자 공간에 침묵이 내려앉았다.

\* \* \*

[긴급 속보! 피랍된 한국인 또 한 명 사살!]

콰작! 치직치지직! 뻐어엉!

리모컨이 틀어박힌 TV가 폭발하는 것을 본 종혁은 얼굴을 쓸어 올렸다.

"푸흐……."

무력하다.

'차라리 몰랐다면…….'

회귀 전처럼 아무것도 몰랐다면 이렇게까지 무력감을 느꼈을까.

"푸흐흐. 그래, 내가 잘못 생각했네."

답지 않게 남에게 미뤄 두기만 했다. 그러면 안 되는데 그렇게 해 버리고 말았다.

"그래. 선은 이미 넘었지."

눈에서 감정이 사라진 종혁은 린치가 준 서류 가방을 열었다.

달칵! 달칵!

쿵쿵쿵!

"야, 최 팀장! 무슨 소리야! 문 열어 봐, 새꺄!"

달칵!

서류 가방을 열자 드러나는 두 자루의 권총과 방탄복.

방탄복을 입고 권총을 홀더에 끼운 종혁은 정장 재킷을 걸치며 문을 열었다.

"야! 최 팀…… 크큭. 빡쳤냐?"

"막을 겁니까?"

"아니."

또다시 젊은 피가 살해당했다. 이런 상황에서 보신을 먼저 생각할 정도로 좆같은 형사 생활은 하지 않았다.

입술을 비튼 오택수와 최재수가 비켜서자 종혁은 자말을 봤다.

종혁의 몸에서 넘실거리는 살의에 놀란 그녀.

"막을 겁니까?"

"……총이 부족하지 않나요?"

폭발 소리에 반사적으로 들고 나온 소총과 권총을 보여 주는 자말. 종혁의 입에서 바람 빠지는 소리가 났다.

"당신, 멋진 여자야."

입술을 비튼 종혁은 엘리베이터로 향했고, 자말에게 총을 넘겨받은 오택수와 최재수가 목을 꺾으며 그 뒤를 따랐다.

"최재수, 망설이지 말고 쏴라."

"걱정 마세요, 씨발. 이 개새끼들……."

스르릉! 띵!

열리는 엘리베이터의 문을 통해 내린 종혁들은 무심히 로비를 가로질렀다.

그 순간이었다.

후다닥!

"씨발! 이럴 줄 알았지! 멈춰, 최 교관!"

종혁은 자신들을 막아 세우는 국정원 요원들을 보며 고개를 모로 기울였다.

"왜? 막게? ……니들 따위가?"

"더 움직이면 징계야! 옷 벗고 싶어?!"

"벗기려면 벗겨 보시든지."

눈앞에서 사람이 죽었는데도 참아야 한다?

"그딴 개짓거리를 할 거면 경찰을 왜 해? 비켜. 안 비키면 2계급 특진이다."

2계급 특진, 순직시켜 주겠다는 말에 국정원 요원들은 이를 악물었다.

"제발! 최 교관!"

종혁은 애원하다시피 말리는 그들의 모습에 이를 악물었다.

"후……!"

이들을 때려눕힌다고 한들 달라질 게 있을까. 그저 애먼 사람에게 화풀이하는 꼴밖에 되지 않았다.

"아아악!"

상처받은 짐승의 포효가 로비를 꿰뚫었다.

"후우. 얼만데?"

"뭐, 뭐가?"

"그 개새끼들이 대한민국에 원하는 액수가 얼마냐고."

"……천만 달러."

"아, 그래?"

회귀 전과 다를 게 없는 액수.

그러나 이 액수는 일주일 뒤 두 배로 뻥튀기가 된다.

그리고 다시 일주일 뒤에 또 두 배로 뻥튀기.

모두 박노형 대통령이 악수를 두기 때문이다.

"대통령님 의지는?"

"후. 일단 인질들의 위치를 모두 알아내지 못한 만큼……."

종혁의 눈이 실망으로 물든다.

"됐어."

더 이상 들어 보지 않아도 됐다.

"너희들 생각도 됐어. 이 액수를 듣고도 아무런 생각이 나지 않았다면 니들이 병신이니까. 아니, 협상단이고 대책반이고 죄다 병신들만 있는 거지."

"이봐, 최 교관!"

"한 번만 더 교관 이 지랄하면 진짜 교관으로 복귀한다."

"……."

"꺼져. 더 이상 병신 바이러스 옮기지 말고. 아, 샤리프인지 나발인지 그 새끼 근처엔 얼씬도 안 할 테니까 꺼지라고!"

"믿는다, 최 교…… 아니 최 팀장. 여기까지는 봐줄 테지만……."

"아, 진짜!"

종혁은 황급히 멀어지는 국정원을 보며 이를 갈았다.

그때, 가만히 상황을 지켜보던 린치가 종혁의 곁으로 다가왔다.

"그러면 이제 어떻게 할 생각입니까?"

이대로 포기할 거냐는 린치의 물음에 종혁은 생각에 잠겼다.

'이번에도 놈들은 대학생을 죽였어. 왜지?'

무리의 수장, 교수부터 죽이는 게 충격과 파장이 더 클 텐데도 새벽의 등불은 다시 대학생을 죽였다.

　'왜일까, 왜지?'

　종혁은 이놈들의 심리를 추측해 갔다.

　"흠. 그런데 갑자기 드는 생각이 있는데요…….."

　잠시 생각을 멈춘 종혁이 최재수를 본다.

　"이 테러범들은 왜 인질을 두 명, 세 명씩 죽이지 않는 걸까요?"

　"야. 너 솔직히 말해. 중경에서 교육받을 때 잤지?"

　"무, 무슨……! 저 상위권 성적이었거든요!"

　"지랄. 그런 새끼가 인질은 많으면 많을수록 좋다는 걸 모른다고? 어휴. 새끼야. 대가리! 대가리 좀 굴리라고, 새끼야!"

　"악! 악!"

　종혁은 최재수를 타박하는 오택수를 멍하니 응시했다. 머리를 강타한 충격 때문이다.

　"잠깐."

　"왜? 더 때리라고?"

　"잠깐만요. 인질범들이 인질을 마구잡이로 죽이지 않은 이유가 뭐였죠?"

　"하, 너까지 왜 그러냐. 인질을 마구잡이로 죽이는 순간……."

　"이쪽은 남은 인질을 구하기 위해서라도 무력을 투사할 수밖에 없다."

　"그렇지. 막말로 가만두면 어차피 죽을 목숨이니까."

그렇기에 인질을 구출하는 입장에선 뭐라도 해야 한다. 그게 설혹 인질을 모두 죽일 수 있는 구출 작전이라도.

"그러면 그 말을 반대로 생각해 보면?"

"⋯⋯언제나 소수인 인질범들은 다수의 무력이 무서워 함부로 인질을 죽일 수 없다?"

"빙고."

맞다. 다수가 투영할 무력이 무서워서다.

물론 순교를 외치며 무차별 테러를 벌이는 미친놈들도 있지만, 인질을 잡고 돈을 요구한 순간 저들은 이미 이쪽을 무서워하는 것과 다름이 없는 거다.

린치의 눈이 빛났다.

"뭔가 생각나셨나 보군요. 어떻게 하실 생각입니까?"

"어떻게 하긴요. 내 방식대로 해야지."

마침 기가 막힌 생각이 떠올랐다.

씩 웃은 종혁은 핸드폰을 들었다.

"네, 나탈리아. 납니다. 빚 하나 까고 싶은데요."

린치는 갑자기 언급된 나탈리아에 눈을 부릅떴다.

\* \* \*

한편 협상단으로 향하는 국정원의 차 안.

"와. 최 교관이 그렇게 폭주할 거란 건 어떻게 아셨습니까, 팀장님?"

방금까지 대거리했던 팀장이 팀원의 말에 혀를 찬다.

"그러고도 남을 인간이니까."

나이도 어린놈이 뭐 그리 측은지심이 많은지 억울한 피해자가 생기는 꼴을 못 본다.

"넌 좀 늦게 합류해서 모르겠지만, 최 팀장이 훈련 교관을 할 때 프랑스 파트에서 왕따 사건이 터졌어."

그리고 그걸 종혁이 본 거다.

"그, 그래서요?"

"왕따 주범자들 전부 은퇴당했다."

사지와 갈비뼈가 모두 부러져서 은퇴를 당했다.

처음엔 종혁도 주의를 주고 상부에도 건의를 했다. 그런데도 고쳐질 기미가 보이지 않자 종혁이 직접 나서서 은퇴를 시켜 버렸다.

"그것도 차장님들이 모두 계신 자리에서."

"……그, 그걸 가만뒀다고요?"

"40명. 당시 최 팀장을 말리기 위해 달려든 숫자야."

그런데 그들 모두 종혁에게 제압을 당했다.

"미친……."

국정원은 그 미친 피지컬과 전투 능력을 배우기 위해 그 사건을 묻었고, 결국 그건 잘한 선택이었음이 증명되었다.

"하, 씨발."

"왜?"

"최 팀장이, 솔직히 까놓고 말해서 일개 경찰일 뿐인 최 팀장이 저렇게 빡친 걸 보니 좀 그래서요."

샤리프가 새벽의 등불의 조직원이라는 걸 밝힌 것도 종혁이고, 감시할 수 있는 상황을 만든 것도 종혁이다.

자신들 국정원은 지금까지 뭘 했나 하는 자괴감이 들 정도다.

"거기다 씨발, 아프간 정부도 그래요."

아프간을 위해 피를 흘리며 싸워 주는 한국의 국민이 아프간 내에서 피랍을 당했는데도 저들은 적극적으로 움직여 주지 않고 있다. 한국이 요구하면 그제야 들어주는 상황.

"이런 취급을 당할 거면 그동안 왜 대신 싸워 준 건지…… 씨발."

"어쩔 도리가 있냐."

일반인들은 잘 모르지만, 양국 간에는 이미 예전부터 한국군 철수가 논의되고 있던 상황이다. 남의 나라에서 우리나라 젊은이들의 피를 계속 흘릴 수 없다는 한국 내 여론 때문이다.

평화와 화합을 중시하는 박노형 대통령은 그 여론을 무시할 수 없었고, 결국 그런 논의가 진행되다 못해 가시화되고 있던 상황에, 이제 점진적 철수를 하겠다는 발표만 남겨 놓은 상황에 이런 피랍 사건이 벌어진 거다.

지독히도 운이 나빴다고 볼 수 있었다.

"어차피 떠날 놈들이라 이거지. 그러니 그런 개소리를 지껄이는 거고."

미적지근한 대응을 하는 아프간 정부는 심지어 한국군

이 쓰던 무기를 모두 기부하고 가라는 개소리까지 지껄였다. 아니면 한국군 철수를 백지화시키든지.

"하, 씨발. 아프간 정부만, 아니 군대만이라도 적극적으로 움직여 줘도 뭐가 달라지긴 할 텐데…….."

팀장도 동감이었다.

그렇게 압박을 할 수 있다면 인질범들도 겁을 먹을 터. 협상에서 유리한 위치에 오를 수가 있었다.

"아, 흠. 그런데요."

"또 뭐?"

"아까 최 팀장이 한 말 말입니다."

천만 달러라는 액수를 듣고도 아무런 생각이 나지 않았다면 니들이 병신이라는 말.

"이거 단순히 저희를 까기 위해서 한 말일까요? 그 인간 성격이라면 그럴 수도 있을 것 같은데."

"……아니, 그건 아닐 거야."

종혁은 누군가를 이유 없이 까는 부류가 아니다.

"천만 달러면 한화로…… 어, 잠깐."

팀장은 고개를 번쩍 들었다.

"왜요?"

"잠깐, 정말 잠깐만. 야, 미국이 아프간에서 탈레반 애들 몰아낼 때 어떻게 했었지? 정확히는 북부동맹 애들을 움직였을 때!"

현재 아프간의 정권을 잡고 있는 당시의 북부동맹.

미국은 이들과 손잡고 아프가니스탄에서 탈레반을 몰

아냈다.

"어…… 글쎄요?"

"씨발, 너 자료 안 읽었지?!"

당시 미군은 아프가니스탄 최대 군벌에 500만 달러를 약속하며 끌어들였다.

"와, 최 팀장이 이걸 어떻게 알았지?"

"어, 어. 그래도 당시 북부동맹은 어떻게든 탈레반을 몰아내야 했던 상황이었잖아요!"

"지금도 비슷한 상황이지."

정말 새벽의 등불 요구대로 한국군이 물러나게 된다면 누구의 손해일까? 아프간의 손해다.

그러나 마냥 손해라고 볼 수 없는 게, 한국군이 먼저 철수를 하겠다고 말을 꺼냈기 때문이다.

그런데 이걸 아프간이 이번 일에 적극적으로 대응해 주지 않아 물러나는 거라고 바꿀 수만 있다면?

그땐 아프간의 국제 신용도가 추락한다.

자국을 위해 싸워 주는 국가의 국민조차 보호하지 않는 나라. 속사정이 어찌 됐든 그땐 아프간의 강력한 방패인 미국도 고개를 젓게 될 거다.

즉, 어차피 떠날 놈들이라 제대로 협력하지 않았고, 또 그런 이유 때문에 한국도 적극적으로 나서 달라 요구를 할 수 없었던 아프간이 움직일 수밖에 없는 명분이 생기는 거다.

아니, 어떻게든 그렇게 만들어야 했다.

설혹 그게 말도 안 되는 억지에다 사기라도.

'최 팀장 말이 맞네!'

이 간단한 걸 떠올리지 못한 협상반이고, 대책 본부고 모두 병신이 맞았다.

"씨발! 뭐해! 밟아!"

"예!"

* * *

그날 오후, 수도 카불의 한 버려진 교회 앞.

"됐습니다!"

그 앞을 스쳐 지나가던 종혁이 누군가의 외침에 멈춰 서며 돌아선다. 그런 종혁에게 다가온 러시아계 사내가 손을 내밀었다.

"처음 뵙는 분이네요. 최종혁입니다."

"우리 러시아의 친구를 만나게 되어 영광입니다. 그런데……."

SVR 요원은 어느새 종혁의 옆에 서 있는 미국인을 보며 눈을 가늘게 떴고, 남성은 킬킬 웃었다.

"좋은 건 나눠 먹자고, 불곰."

"하이에나 같은 얌생이 놈들."

혀를 찬 SVR 요원은 종혁을 보며 싱긋 웃었다.

"그럼 시작할까요?"

"……후우. 그러죠."

"너무 긴장하지 마십시오. 주사보다 살짝 더 아플 뿐입니다."

"그래도 긴장이 되는 건 어쩔 수 없네요."

"후후. 시작해."

쫘아아앙!

종혁은 몸이 붕 뜨는 감각과 함께 눈을 질끈 감았다.

* * *

대명대학교 기독동아리 달란트 피랍 사건의 협상단이 머무는 카불의 어느 호텔 미팅룸.

협상단을 이끄는 외교부 장관이 담배를 문다.

"그러니까 아프간이 이번 일에 적극적으로 대응해 주지 않아서 한국군을 철수시킨다고 아프간 정부를 협박한다? 새벽의 등불인지 촛불인지 하는 테러단체의 위협 때문이 아니라? 이렇게 이해하면 되는 건가, 차장?"

국정원 중동 파트 차장이 힘차게 고개를 끄덕인다.

"예! 엄연히 팩트잖습니까!"

그리고 어쩔 수 없이 나서게 된 아프간 정부에 이번 협상에 쓸 돈을 슬그머니 건넨다.

어르고 달래는 작전.

이건 먹힐 수밖에 없는 일이었다.

"시나리오 좋군."

외교부 장관은 감청이 불가능한 핸드폰을 봤다.

"어떻게 생각하십니까, 대통령님?"

─음…… 빈대 하나 잡자고 초가삼간을 다 태우는 건 아닌가 모르겠군요.

너무 과한 무력을 동원하는 건 아닌지 모르겠다.

또 그로 인해 새벽의 등불이 미친 척 인질을 모두 살해한다면?

그 여파는 어떻게 감당해야 할 것인가.

박노형 대통령의 머릿속이 복잡해진다.

"대통령님, 어떻게든 피랍당한 시민들을 구해 내야 하는 저희 정부 입장에선, 또 미국의 눈치를 봐야 하는 저희 입장에선 이보다 좋은 방법이 없습니다."

맞다. 맞는 말이다.

하지만…….

─그래요. 일단 그렇게 한다 칩시다. 그런데 그렇게 하면 아프간 정부군을 움직일 수 있겠습니까? 그들이 반발하지 않겠습니까?

"외통수다 보니 적극적이지는 않더라도 움직이는 시늉은 하게 될 거란 게 저희 외교부의 판단입니다."

'그러니 제발 승인해 주십시오!'

오늘 낮 새벽의 등불이 대학생 한 명을 더 죽이면서 박노형 대통령이 한국군 철수의 생각을 굳히게 됐다.

일단 저들을 달래고 뒤에서 인질들이 사로잡힌 장소를 알아내자는 게 박노형 대통령의 생각.

하지만 그건 잘못된 판단이다. 한국군 철수라는 카드를 내놓는 순간, 한국과 미국 사이의 외교에 큰 마찰이 생길 거다.

박노형 대통령이 방금 한 말처럼 빈대 잡자고, 아니 대학생 몇 명 구하겠다고 몇 조, 몇 십조의 손해를 볼 순 없었다.

이런 외교부 장관의 마음이 전해진 건지 박노형의 표정이 진중해진다.

ㅡ후우. 명분은 어떻게 만들 겁니까? 현 상황에서 그런 억지를 쓴다면 누구든 우리의 편을 들어 주지 않을 텐데요.

"한국 내에서 여론을 형성시키고, 국제 사회에 호소를 하면 됩니다."

테러단체의 협박에 굴해서가 아니다, 협조하지 않은 아프간 정부에 실망해서라고 말이다.

지독한 억지지만 이 방법밖에 없었다.

ㅡ……일단 생각 좀 해 보겠습니다.

"아니, 대통령님!"

'이건 생각하고 자시고 할 게 아니란 말입니다!'

인질이 구금된 장소를 알아내지 못한 이상, 시간을 줄수록 새벽의 등불에 유리해질 뿐인 이번 협상.

벌컥!

외교부 장관은 얼굴을 구겼다.

"뭐하는 짓이야! 회의 중엔 누구도 들어오지 말라고 했잖아! 차장! 부하 관리를 어떻게 하는 거야!"

"너 이 자식!"

"자, 잠시만! 잠시만요!"

안으로 난입한 국정원 요원은 얼굴이 외교부 장관과 국정원 차장의 얼굴이 구겨지는 게 보이지 않는지 얼른 리모컨을 들어 미팅룸 한구석에 있는 TV를 켰다.

"지금 뭐하는…… 흡?!"

외교부 장관뿐만 아니라 국정원 차장도 러시아 국영 방송에서 흘러나오는 긴급 속보에 눈을 부릅뜬다.

[속보! 러시아인, 아프간 카불에서 폭탄 테러에 휘말려!]

"무, 무슨!"

외교부 장관과 국정원 차장은 다급히 요원을 봤고, 이미 하얗게 질려 있는 그는 마른침을 삼켰다.

"피, 피해자 신원이 드바 로마노프의 이사라고 합니다. 그, 그것도 메드베제프 총리의 사촌이라는……."

"……누구?"

메드베제프 **총리**. 러시아 국영가스 기업 가즈프롬의 이사장이자 명실상부 러시아의 이인자.

그런 엄청난 거물의 사촌이 아프가니스탄 수도 카불에서 폭탄 테러에 휘말렸다.

이는 러시아가 오랜 잠에서 깨어난다는 소리였다.

그것도 이곳 아프가니스탄과 전쟁을 벌인 경험이 있는 소련을 그대로 계승한 러시아가.

미팅룸에 모인 사람들의 얼굴이 하얗게 질렸다.

하지만 그들이 경악할 소식은 그게 전부가 아니었다.

타다다닥!

"소, 속보입니다!"

갑자기 난입한 다른 요원의 행동에 국정원 차장의 얼굴이 구겨진다.

"메드베제프 총리의 사촌이 테러에 휘말렸다는 소식이라면 하지 마."

"아, 아닙니다! 그게 전부가 아닙니다! TV를 봐 주십시오!"

너무도 다급한 외침에 다시 TV를 봤던 사람들은 이내 다시 기겁했다.

이번엔 미국의 CNN 방송.


[속보! 18세 소년 빌 헨리, 폭탄 테러에 휘말려!]


툭!

사람이 너무 놀라면 말을 잊어버린다고 할까.

지금이 딱 그 꼴이다.

볼펜을 떨어뜨린 외교부 장관은 자신의 볼을 꼬집으며 부디 이것이 꿈이길 빌었다.

"그, 그리고 그 자리에 최, 최 팀장도 있었다고 합니다."

"뭐?"

[미국인 사업가 해리 모하메드 빈 살만도 테러에 휘말려!]

"해리 모하메드…… CIA에서 최 팀장에게 제공한 위장 신분입니다."

쿠웅!

사람들은 입을 떡 벌렸다.

*　*　*

꿀꺽!

TV 앞에 모여 앉은 새벽의 등불 조직원들이 마른침을 삼킨다.

"대, 대체 누가……. 어떤 미친놈들이……."

미국과 러시아를 동시에 테러한 걸까.

심지어 피해자 중에는 미성년자 소년과 러시아 이인자의 사촌이 있었다.

이번 테러를 일으킨 신원 미상의 테러단체는 미국과 러시아의 보복으로 처참하게 괴멸될 것이 분명했다.

오싹!

"이, 이거 잘못하면 우리가……."

현재 세계를 떠들썩하게 만드는 혁명 조직이 어디인가. 바로 자신들 새벽의 등불이다.

불과 오늘도 한 나라의 파견군을 철수하라고 외치며 세계를 뜨겁게 달군 새벽의 등불.

"아, 아니야! 우리 아니잖아! 맞지?!"

카라랑! 카라랑!

갑자기 울린 전화에 화들짝 놀란 그들은 얼른 전화를 받았다.

ㅡ너희냐?

"아니야! 우린 아니야! 너희 쪽 아니야?

ㅡ우리도 아니야!

파미르는 혼란과 공포에 빠지는 형제들을 보며 혀를 찼다.

'겁쟁이들 같으니.'

미국과 러시아가 분노한다고 한들 그게 자신들과 무슨 상관이란 말인가. 그런데도 지레 겁먹고 당황하는 꼴을 보니 방금 전까지만 해도 든든했던 동료들이 맞나 싶다.

갑자기 같은 공기조차 마시고 싶지 않은 불쾌한 기분.

'그나저나 운이 나쁘군.'

누군지 몰라도 참 운이 나쁘다.

미국과 러시아를 건드렸으니 아마 조직이 뿌리 뽑히지 않는 이상 피가 멈추지 않을 거다.

"그건 우리도 마찬가지고."

이 폭탄 테러로 인해 임팩트가 줄어들었다.

어쩌면 자신들이 아예 묻혀 버릴지도 몰랐다.

"골치 아프게 됐어."

이런 일은 태풍처럼 몰아붙여 얻어 내고자 하는 걸 얻어 내야 하는데, 미국과 러시아의 분노로 인해 제동이 걸려 버렸다.

이런 상황에서 괜히 목소리를 냈다가는 불똥이 튈 수도 있을 터.

"대체 어떤 멍청한 형제들인지……."

"그 멍청한 형제들에게 알라의 천벌이나 내렸으면 좋겠군."

"아, 지도자님."

파미르가 다급히 몸을 일으키는 순간이었다.


[속보! 카불에서 발생한 폭탄 테러! 새벽의 등불로 추정?]


쿠웅!

"……뭐?"

순간 방 안의 공기가 싸늘하게 얼어붙는다.

그와 동시에 TV 화면이 전환되며 메드베제프가 등장한다.

─감히 이 나라의 국민을 해한 테러단체여. 난 너희가 누군지 모른다. 하지만 우리 러시아는 어떻게든 찾을 것이다. 그리고 섬멸하기 전까지 절대 멈추지 않을 것이다.

꿀꺽!

─그러니 동맹과 동지들에게 요청한다. 길을 열고 협조하라. 우리 러시아의 분노를 맛보고 싶지 않으면!

"미, 미친!"

파미르와 지도자는 다급히 서로를 응시했다.

　　　　＊　＊　＊

　-간악한 미국과 러시아는 들으라!

"응. 아니야. 안 들려."

　환자복을 입은 채 병실 침상에 누운 종혁이 다급히 실시간으로 성명을 발표하는 새벽의 등불을 보며 킬킬 웃고, 옆에서 사과를 깎던 자말이 그런 그를 경이롭다는 듯 응시한다.

　지이잉! 지이잉!

　종혁은 냉큼 전화를 받았다.

"네, 나탈리아."

　-마음에 드시나요, 최?

"굉장히요."

　마음에 들다 뿐일까.

　이로써 새벽의 등불은 고립무원이 될 터.

　'어쩌면 고립시킬 뿐만 아니라, 직접 새벽의 등불 가져다 바치려는 놈들이 나올지도 모르지.'

　러시아뿐만 아니라 미성년자의 폭탄 테러에 미국 또한 분노했다. 곧 미국 대통령 대변인도 성명을 발표할 것이 예정된 상황.

　탈레반이라 할지라도 미국과 러시아 두 나라의 분노를 한꺼번에 받아 낼 수는 없었다.

　탈레반을 비롯한 테러단체들이 미국과 러시아의 분노

를 피하기 위해 선택할 수 있는 건 두 가지였다.

새벽의 등불이 소탕당할 때까지 침묵하거나, 새벽의 등불이 소탕되도록 만드는 것.

사면초가.

동지라고 생각했던 이들에게도 쫓기게 될 테니, 이제 세상에서 새벽의 등불을 도와줄 사람은 아무도 없었다.

'자, 너희들이 무서워하는 걸 보여 줬다.

소수인 인질범들이 두려워하는 다수의 무력.

'이제 어떻게 나올래?'

종혁의 눈이 흉흉하게 빛나기 시작했다.

'아, 너희를 도와줄 곳이 하나 있긴 하구나?'

딱 한 곳 있다.

그곳은…….

ㅡ최?

"아. 그런데 메드베제프 씨가 발표를 한 건 너무 과한 거 아니에요?"

솔직히 메드베제프가 이번 일에 나서 줄 거라곤 생각도 못했다.

"거 빨대 한번 제대로 꽂으시는구만?"

이번 일을 빌미로 아프간 정부를 제대로 벗겨 먹으려는 러시아와 미국.

너희가 미적거리며 새벽의 등불을 처리하지 않았기에 결국 자국민이 다쳤다는 명분도 있으니, 아프간으로서는 미치고 팔딱 뛸 노릇이라도 그들의 요구를 들어줄 수밖에 없었다.

　－후후. 그래서 싫은가요?

　"전혀."

　종혁의 눈빛이 순간 차가워진다.

　"그들의 자유와 평화를 위해 피땀을 흘린 타국의 국민이 납치를 당했는데도 미적거렸으니 그 대가는 치러야겠죠. 그동안 고생한 한국 파견군분들을 위한 몫만 제대로 쳐주세요."

　이것이 러시아와 미국, 그리고 종혁 사이의 거래였다.

　－그건 걱정 마세요, 최.

　"나탈리아."

　－말하세요, 최.

　"전쟁은 안 됩니다."

　러시아와 미국은 어디까지나 분노한 시늉만 하는 거다.

　군대를 파견하되 소탕 작전을 벌이는 게 아니라 무력시위로서 공포를 심어 주는 것. 인질을 구출하는 건 어디까지나 한국군이어야 한다.

　얄미운 놈들 구하고자 이번 일과 전혀 상관이 없는 이들의 목숨이 날아가면 정말 견딜 수 없을 테니까.

　여기까지가 종혁이 요구할 수 있는 한계이자, 이번 거래의 모든 조건이다.

　－그것도 걱정 말아요, 나의 최. 모두 당신의 뜻대로 될 테니까요.

"고마워요, 나탈리아. 이 은혜 꼭 갚을게요. 곧 할 말도 있고요.

─은혜가 아닌 정당한 거래였는데……. 그래도 꼭 듣고 싶네요.

"큭큭. 아, 미국 대통령 대변인이 나오네요."

TV의 화면이 전환되며 미국 대통령의 대변인이 단상에 선다.

그때였다.

"잠시만요! 들어가시면 안 됩니다!"

"비켜!"

"응?"

종혁은 최재수를 매달며 들어오는 국정원 중동 파트 차장과 외교부 장관의 모습에 피식 웃으며 일어섰다.

"끊을게요. 오셨어요?"

"최 팀…… 장."

자말을 발견하고 흠칫 놀라는 차장과 외교부 장관.

하지만 그것도 잠시다. 곧 그들의 눈이 샐쭉하게 떠진다.

"대체 어떻게 된 일입니까?"

이미 예상한 질문.

종혁은 미리 준비한 이야기를 풀어놓았다.

"그러니까 드바 로마노프가 아프간을 시작으로 중동에 진출을 하려는데 마침 최 팀장이 카불에 있어서 만나러 왔다? 그 인권운동가 소년은 우연히 그 근처를 지나다 휘말렸고?"

아프간 여성들의 인권 상장을 위해 카불을 찾은 인권운동가 소년 빌 헨리.

"들으신 그대로입니다."

"장난해! 어린아이도 안 믿을 이야기를 나보고 믿으라고!"

외교부 장관의 분노에 종혁은 어깨를 으쓱였고, 그런 그를 보던 국정원 차장은 눈을 가늘게 떴다.

"최 팀장, 이거 설마 최 팀장이 짠 판이야?"

종혁은 날카로운 그의 눈빛에 어이없다는 듯 웃었다.

"허…… 이 양반이 낮술을 잡쉈나. 그런 판타지 소설은 집에 가서 쓰세요."

"왜? 최 팀장 이런 거 잘하잖아. 이렇게 판 짜는 거."

"하아. 그래요. 내가 그랬다고 칩시다. 치자고요. 그런데 그렇게 판을 짠 내가 이렇게 다칠 거라고 생각하십니까?"

환자복 상의를 벗은 종혁은 등짝을 보여 줬고, 국정원 차장과 외교부 장관은 신음을 흘렸다.

마치 등판 전체가 괴사라도 된 듯 새까맣게 멍이 든 종혁의 등.

다시 환자복 상의를 입은 종혁은 국정원 차장과 외교부 장관을 향해 냉소를 보냈다.

"헛소리에 시간 낭비할 생각 말고, 움직이기나 하세요."

사면초가에 고립무원이 됐으니 새벽의 등불이 취할 제 스처는 딱 두 가지다.

하나는 인질들을 모두 죽이고 숨든가, 아니면…….

"우리에게 도움을 요청하든가."

"빙고."

현 상황에서 새벽의 등불을 도와줄 수 있는 곳은 역설적으로 한국뿐이다. 아마 이제 새벽의 등불은 인질을 모두 석방할 테니 중재를 해 달라는 뻔뻔한 요구를 해 오게 될 것이다.

"씨발! 최 팀장, 너 맞잖아!"

"아니라니까 그러네! 애초부터 그 정도의 인맥도 없지만, 혹여 있다고 한들 그 얄미운 새끼들을 구하기 위해 소중한 인맥을 쓸 것 같습니까? 씨발, 내가 미쳤어요?!"

"큥. 그건 맞는데……."

"아, 좀 가시라고요, 가! 국제적 망신을 당하기 전에!"

정말 새벽의 등불이 협상을 해 온다면 어떻게 될까.

한국은 아무것도 한 일이 없이 그저 두 나라의 힘으로 사건을 해결한 거다. 이는 한국이 힘이 없다는 걸 드러내는 꼴밖에 안 된다.

이미 당해 버린 망신이기는 하지만 말이다.

"마, 맞아! 그, 그 전에 움직여야지!"

미국과 러시아가 아프간에 발을 딛기 전에 이번 사건을 종결시켜야 한다. 그래야 체면치레라도 한다.

"아, 알았어! 우린 먼저 간다! 어! 나 차장인데! 샤리프인지 오마샤리프인지 그 새끼 확보해! 지금 당장!"

종혁은 부리나케 달려 나가는 그들을 보다 한숨을 내쉬며 침상에 누웠다.

"아으으."

이제 정말 할 만큼은 다했다.

'남은 건 놈들의 면상을 보는 것뿐이지.'

자신들이 한 일 없이 미국과 러시아의 힘만으로 사건이 해결된다면 골치 아픈 건 아프간 정부도 마찬가지. 이제 한국과 아프간은 한 몸이 되어 놈들을 쫓는 데 사력을 다하게 될 거다.

"진짜 이젠 좀 보자, 이 개새끼들아."

"저……."

"응?"

종혁은 병실 문 앞에 서 있는 아흐메트를 보며 눈을 동그랗게 떴다.

*　*　*

─속보입니다!

라디오에서 울려 퍼지는 아나운서의 외침에 오늘도 의료 진료를 받으러 나온 빈민가 사람들의 귀가 쫑긋 솟는다.

─새벽의 등불로 추정되는 테러단체의 폭탄 테러에 의해 피해를 입은 미국인 사업가가 해리 모하메드로 밝혀졌습니다! 우리 아프간에서 청금석을 매입해 미국에 판매하는 해리 모하메드는 현재…….

"뭐?"

"지, 지금 내가 뭘 들은 거지? 모하메드? 우리의 모하메드?"

어제부터 빈민가에 무제한의 잔치를 열어 주고, 의사들을 데려와 준 빈민가의 성자, 모하메드

그가 폭탄 테러에 휘말렸단 소식에 공터에 모인 빈민가 사람들의 얼굴이 하얗게 질린다.

그건 아흐메트도 마찬가지였다.

툭!

"교, 교수님. 지, 지금……."

"……잠깐 좀 쉬지."

그 말을 남기고 일어선 아흐메트는 종혁이 의료 봉사자들을 위해 따로 준비해 준 천막 안으로 들어갔다.

그리고 그대로 주저앉았다.

털썩!

"아, 아들아. 대체 무슨 짓을 한 거니……."

그동안 정부와 아무런 상관이 없는 일반인들을 총으로 쏴 죽이고, 폭탄으로 터트려 죽인 아들.

그것조차도 용납하지 못할 일이었는데, 자신의 아들은 이 나라 이 사회 가장 밑바닥에 사는 저 빈민들에게 겨우 드리워졌던 희망마저 거둬 가 버렸다.

"왜…… 대체 왜……!"

아들이 저지른 참상을, 아들의 죄를 어떻게든 갚고자 아들이 테러를 벌인 곳을 전전할 때마다 외쳤던 물음이건만 오늘은 특별히 더 아프게 다가온다.

가슴을 붙잡은 채 무너진 아흐메트는 오열하고 또 오열했다.

그렇게 얼마나 울었을까.

땅을 짚으며 일어서는 아흐메트의 눈이 결연해진다.

"그래. 너를 세상에 데려오고 잘못 키운 죄인으로서 신의 곁으로 돌려보내는 것도 내가 해야 될 일이겠지."

더 이상 파미르는 자신의 아들이 아니다.

그저 한 마리의 괴물일 뿐.

그걸 이제야 인정하게 된 아흐메트는 이를 악물며 천막을 박차고 나갔다.

"교, 교수님!"

"잠시 나갔다 오지."

아흐메트는 종혁이 입원한 병원으로 향했다.

그리고…….

"새벽의 등불의 최고 간부인 파미르, 파미르 빈 아흐메트를 만날 수 있는 방법이 있습니다."

잠시 아흐메트의 말을 이해하지 못했던 종혁은 이내 입을 떡 벌렸다.

\* \* \*

"미친!"

반박을 했지만 들어 먹지 않는다.

이유는 고작 하나다. 미국인과 러시아인을 다치게 한

폭탄이 자신들 새벽의 등불이 지난 테러에서 쓴 폭탄과 동일하다는 것.

거기다…….

—수도 카불에서 일어난 폭탄 테러는 정말 끔찍한 일이 아닐 수 없다. 이번 일은 우리 전사들과 전혀 관계가 없으며, 탈레반을 자칭하는 새벽의 등불은 조속히 인질들을 석방하고, 자수하길 권한다.

"아……."

탈레반이 자신들을 버렸다.

같은 뜻을 위해, 신의 세상을 만들기 위해 함께 목숨 바쳐 성전을 펼치는 파키스탄 탈레반과 아프가니스탄 남부 탈레반 모두 자신들을 외면했다.

띠리링! 띠리링!

—형제들, 우리가 도와주겠다. 지금 어디에 있나?

새벽의 등불 간부는 그동안 친하게 지낸 다른 탈레반 조직의 조직원이 자신들의 현재 위치를 물어 오자 다급히 전화를 끊었고, 그들의 아지트는 패닉에 휩싸였다.

"이, 이제 우리는 어떻게 되는 거야?"

물어볼 것도 없는 질문.

이제 자신들에게 남은 건 두 가지뿐이다. 이대로 장렬히 산화해 알라의 곁으로 가든가, 아니면 후일을 기약하든가.

그런데 문제는 후일을 기약하려고 해도 갈 곳이 없다는 것이다.

그들은 다급히 최고 간부 아니 새벽의 등불의 이인자인 파미르를 찾았고, 이를 악문 그는 몸을 일으켜 지도자에게로 향했다.

'제기랄. 차라리 그놈을 죽였어야 됐나?'

빈민가를 얼쩡거렸던 해리 모하메드.

이상함을 느꼈을 때 그냥 제거했어야 했다.

"쯧."

쿵쿵!

"들어가겠습니다."

"빌어먹을!"

'응?'

문을 열고 들어가던 파미르는 이상하면서도 묘하게 낯익은 방언에 의아해했다가 이내 낯빛을 굳혔다.

"지도자님."

흠칫!

파미르가 들어온 걸 몰랐다는 듯 화들짝 놀란 지도자.

"큼. 무슨 일이지?"

"형제들이 동요하고 있습니다."

진정을 시켜야 한다. 그렇지 않으면 배신자가 나올 터.

"저희는 지도자님께서 어떤 결정을 내리시던 준비가 되어 있습니다, 지도자님."

그것이 신의 곁으로 향하는 결정이든, 이대로 항복해 후일을 기약하는 일이든.

후자를 선택한다면 비록 형제들이 뿔뿔이 흩어지겠지

만, 그래도 어떻게든 생존해 언젠가 다시 모여 신의 뜻을 따를 수 있게 될 것이다.

그런 파미르의 말에 가면 속 지도자의 눈이 빛을 발한다.

"흔들리지 않는군, 파미르."

"이 역시 신께서 내리신 시련일 것이기에."

더 위대한 전사가 되기 위한 신의 시련.

"……든든하군."

"과찬이십니다."

"하지만 방법은 하나가 더 있지."

파미르는 머릿속을 스치는 생각에 낯빛을 굳혔다.

"한국 정부에 중재를 요청하시려는 겁니까?"

"아니. 강요지."

중재를 하지 않으면 인질을 모두 죽이겠다는 강요.

파미르의 눈이 당황으로 흔들린다.

"그들이 듣겠습니까? 차라리 인질들과 함께 후일을 기약하시죠."

인질들이 자신들의 손에 있는 한 한국 정부는 언제까지고 끌려다닐 수밖에 없다. 지금까지 그들이 보인 반응이 그 증거다.

이대로 인질들을 내놓는 순간 감옥에 갇혀 있는 탈레반 형제들을 구할 수도 없거니와 이번 인질극의 최종 목표인 돈을 얻어 내지 못한다면 새벽의 등불 형제들, 안 입고 안 먹고 자금을 보내 주는 다른 형제들의 삶이 고달파진다.

그동안 고생해 준 그들에게 작게나마 보상을 해 주기 위해 이번 납치를 꾀한 게 아니었던가.

이런 파미르의 말에 지도자의 눈빛이 서늘해진다.

"지금 내 결정에 토를 다는 건가?"

"죄, 죄송합니다! 하지만……!"

"한국인은 또 납치하면 돼. 지금은 우리가 이 거지 같은 상황에서 벗어나는 게 먼저다."

"그런 뜻이라면…….'

억지로나마 수긍을 하려는 파미르의 모습에 지도자의 눈빛이 한층 더 서늘해진다.

'머리가 많이 굵어졌군.'

얼마나 굵어졌는지 주인에게 이를 드러낸다.

'능력이 있기에 대우해 준 게 잘못이었나.'

"파미르."

"예, 지도자님."

"네가 직접 움직여 인질들을 데려와라. 여차하면 이곳에서 성전을 펼칠 것이다."

"……예!"

고개를 숙인 파미르는 돌아섰고, 지도자는 그런 파미르를 보며 입술을 달싹였다.

"이번 일이 무사히 끝나면 은퇴시켜야겠어. 무함드, 맡겨도 되겠지?"

펄럭!

지도자가 머무는 방 안쪽에 쳐진 천을 걷으며 걸어 나

온 통역사 무함드는 입술을 비틀었다.

"걱정 마시죠, 지도자님. 그럼 이 일이 끝나면 어떻게 하실 요량입니까?"

"글쎄……."

지도자가 가면을 벗으며 담배를 문다.

묘하게 이국적인 지도자의 얼굴. 마치 중동인과 동양인의 혼혈 같다.

"아직 지령이 오지 않았지만 아마 한국으로 가지 않을까?"

"저도 데려가시는 겁니까?"

"회사에서 허락한다면."

무함드는 꼭 그렇게 되기를 바라며 눈을 강렬히 빛냈고, 지도자는 담배 연기를 뿜었다.

그들이 있는 공간에 잠시 침묵이 내려앉았다.


한편 아지트를 빠져나온 파미르는 주먹을 쥐었다.

지도자는 분명 성전이라고 했다.

'그럼 죽을 수도 있겠지. 죽음이라…….'

죽음이 무서운 게 아니다.

지금 죽는다 하여도 모두 위대한 신의 뜻을 행하다 죽는 것이니 신의 곁으로 갈 것이기에 무섭지 않다.

다만 여태껏 단 한 번도 직접적으로 겪어 보지 못한 미지에 작은 망설임이 생길 뿐.

"아히르."

"왜, 파미르?"

며칠 전 파미르와 함께 한국인들의 동향을 살피기 위해 함께 갔던 사내.

"신전을 구축할 준비를 해."

이교의 군홧발이 이곳을 침범할 때 다 날려 버릴 준비.

"지도자님께서도 허락하셨다."

"오! 드디어! 그럼 넌?"

"인질들을 모아 오라더군. 다녀올 때까지 준비를 맞춰 놔."

"큭큭. 다녀오는 길에 가족이나 보고 와, 파미르. 오늘이 지나면 신의 세상에서나 보게 될 테니까!"

흠칫!

"헛소리."

혀를 찬 파미르는 차에 올랐고, 아히르는 그런 파미르를 향해 손을 흔들었다.

부우웅!

'가족. 아버지…….'

신의 뜻을 펼치다 숭고한 희생을 당한 일반인들을 위해, 파미르 자신이 벌인 성전의 피해자를 위해 가진 직위를 내려놓고 희생과 봉사의 길을 걷는 아버지.

비록 수단이 달라 서로 갈라섰을 뿐 아버지 역시도 파미르 자신처럼 신의 뜻을 펼치기 위한 전사였다.

아니, 성자라고 봐야 했다.

"아버지라……."

오늘 만나지 않으면 영원히 볼 수 없을 거라 생각을 하니 마음이 기운다.

직접 만나는 건 거의 4년만.

"먼발치에서 보고 와야겠군."

그 전에 아버지 아흐메트와 연락부터 닿아야 한다.

그는 수도 카불에 있는 모처로 향했다.

*　*　*

철렁!

컴퓨터 모니터를 보는 파미르의 낯빛이 하얗게 질린다.

"아, 암?"

파미르는 눈을 비비며 다시 메일의 내용을 확인했다.

폭탄 테러로 위장해 아버지를 벗어났을 때 미처 깜빡하고 탈퇴하지 않은 메일.

그러다 3년 전쯤, 처음 신의 위엄을 보였던 날 사방에서 들리는 비명과 울음소리에 울적해져 자신도 모르게 접속했을 때 그는 놀람을 금치 못했다.

하루에 한 통씩, 아버지가 일기를 쓰듯 자신에게 메일을 보내고 있었기 때문이다.

그 접속으로 인해 자신이 살아 있음을 알게 된 아버지는 하루에 두 통씩, 세 통씩 메일을 보냈다.

어쩔 땐 일상의 이야기를.

어쩔 땐 질책을.

어쩔 땐 자수 권유를.

그럴 때마다 여전히 자신을 이해해 주지 않는 아버지가

끔찍이도 싫으면서도 메일을 계속 살피게 되는 건 아마 신이 맺어 준 부자의 연이기 때문일 것이다.

그런데 그런 아버지가 암이란다.

폐암 말기. 이제 살날이 고작 한 달밖에 남지 않았단다.

"아니, 대체 왜……."

신은 왜 아버지 같은 성자를 데려가려는 것인가.

이제 맡은 바 소임을 다했다고 데려가시려는 건가.

오늘 이런저런 일들과 아히르의 말 때문에 생각이 많아진 파미르가 얼굴을 쓸어내린다.

"……빌어먹을."

파미르는 결국 핸드폰을 꺼내 아흐메트의 전화번호를 눌렀다.

뚜르르! 뚜르르! 달칵!

─여보세요?

"……."

─……파미르냐? 맞지? 파미르 맞지? 오, 신이시여!

'흡!'

파미르는 가슴을 움켜쥐었다.

아버지의 목소리를 듣자마자 왜인지, 정말 왜인지 울컥 차오르는 눈물.

주먹을 꽉 쥔 파미르는 떠듬떠듬 입을 열었다.

"암이라면서요?"

─……신께서 날 부르시는 거지. 그러니 신의 곁으로 가기 전에 마지막으로 정말 마지막으로 한 번 볼 수 있겠니?

언제부터 이렇게 부탁이란 걸 하게 된 걸까.

예전엔 부탁보다 명령이 익숙했던 아버지.

결국 신의 곁에 가는 것임에도 나약해져 버린 아버지의 모습에 파미르는 입술을 깨물었다.

─아니면 네 숨소리라도 계속 듣게 해 주렴. 이렇게 부탁한단다, 아들아.

"……지금부터 핸드폰 놓지 마세요."

─파미르!

전화를 끊은 파미르는 몸을 일으켜 모처를 빠져나갔다.


한편 그 시각, 전화를 끊은 아흐메트가 떨리는 눈으로 종혁을 본다.

'한국 정보기관의 요원이었다니.'

"수고하셨습니다. 정말 큰 결정을 하신 겁니다."

"……내가 해야 될 일이라고 생각했을 뿐입니다."

종혁은 그 슬프고도 슬픈 결정을 내린 그를 향해 진심을 담아 허리를 숙였다.

그리고 뒤를 돌아봤다.

그런 그를 잡아먹을 듯 노려보는 수십 명의 사람들.

국정원, 한국군 대테러부대 요원들, 카불 경찰청의 경찰, 아프가니스탄 정보기관의 요원, CIA, SVR까지.

밖에서 대기하고 있는 숫자까지 합하면 물경 400명이 넘어가는 숫자가 모여 있다.

'죽었다 살아나니까 이런 경험도 다 해 보네.'

어디 일개 경찰이 이런 경험을 해 볼 수 있을까.

피식 웃은 종혁은 이내 눈빛을 서늘하게 빛내며 입을 열었다.

"현 상황을 돈을 노리고 아동을 납치한 납치 사건으로 상정. 여러분들께선 현 시간부로 제 통제에 따라 주시면 감사하겠습니다."

일반적인 미행이 아니다.

납치 사건에서 돈을 요구한 범인이 부모와 접선을 할 때 쓰는 방법을 쓸 게 분명한 상황. 아마 파미르는 장소를 여러 번 옮기며 누가 따라붙는지 감시할 거다.

"큼. 그건……."

아프가니스탄 정보기관의 요원들과 경찰은 타국의 인간이 자신들을 지휘하겠다는 것이 마음에 들지 않는지 미간을 좁힌 채 종혁을 바라봤다.

그에 종혁은 피식 웃으며 국정원, CIA, SVR을 가리켰다.

"그러면 당신들이 이 사람들을 통제하시겠습니까?"

각국을 대표하는 정보기관으로, 그 자존심이 하늘을 찌르는 국정원, CIA, SVR.

현재 이곳에서 이 세 곳의 정보기관을 통제할 수 있는 사람은 그들이 모두 인정하는 종혁뿐이었다.

아프가니스탄 정보기관의 요원과 경찰들은 눈빛을 번들거리는 세 정보기관들의 모습에 입을 꾹 다물었다.

"못하겠으면 닥치고 따라. 괜한 공명심에 개짓거리를 했다간 아가리를 찢어 버릴 테니까."

섬뜩!

아프가니스탄 정보기관의 요원들과 경찰들이 입을 다물자, 종혁은 나머지 정보기관을 둘러봤다.

"국정원, CIA, SVR. 세 정보기관은 나를 서포트합니다."

"……예썰!"

절도 있게 거수경례를 하는 그들.

고개를 끄덕인 종혁은 이를 드러냈다.

"그럼 현 시간부로 작전을 시작합니다. 움직이십시오."

"움직여!"

우르르 몰려 나가는 사람들을 바라본 종혁은 권총의 약실을 확인했다.

철컥!

순간 살의가 폭발했다가 가라앉는 종혁의 눈.

"오 경감님, 최재수. 아흐메트 씨 모셔."

"옛!"

드디어 본격적인 인질 구출 작전의 시작이었다.

\* \* \*

빠앙! 빵빵!

교통체증이 심각한 카불의 어느 번화가.

한 음식점 안으로 아흐메트가 들어선다.

"어서 오세요!"

"후무스 하나 주시오."

"예!"

주문을 하며 자리에 앉는 아흐메트.

약 2분 뒤 4명의 사람들이 가게 안으로 들어와 아흐메트 근처에 앉으며 주문을 한다.

그들을 힐끔 본 아흐메트는 금세 나온 병아리콩 스프인 후무스에 시선을 돌리곤 스푼을 든다.

후룩!

"……왠지 그리운 맛이군."

병아리콩을 썩 좋아하지 않는 아흐메트.

그러나 타계한 아내와 파미르가 참 좋아했기에 억지로 먹어야 했던 기억이 떠오른다.

"아, 그러고 보니……."

가게를 둘러본 아흐메트의 눈이 파르르 떨린다.

'여길 기억하고 있었니, 파미르?'

파미르가 초등학교에 입학했을 때 외식을 한 곳.

그때 엄마가 만든 스프보다 맛있다고 외친 파미르는 결국 분노한 아내에게 등짝을 맞았었다.

"그래, 이 맛이었지. 이 맛이었어."

얼굴이 일그러진 아흐메트의 스푼이 점점 빠르게 움직인다. 지금도 좋아하지 않는 후무스지만, 오늘은 왠지 잘 넘어갔다.

후룩! 후룩!

그리 많지 않은 양이라 금세 해치운 아흐메트.

조금 더 먹을까 하던 그는 고개를 저었다. 나이가 들며 위장이 줄어서 그런지 이제는 스프 하나만 먹어도 배가 차 버렸다.

아흐메트가 스푼을 내려놓고 물로 입을 헹구던 그때였다.

지이잉! 지이잉!

"그래, 아들아."

─백화점으로 가 주세요. 어딘지 아시겠죠?

"……그래."

이 외식을 마친 후 갔던 백화점.

그곳에서 아프가니스탄의 전통 모자인 파콜을 샀다.

아흐메트는 계산을 하기 위해 몸을 일으켰고, 그와 동시에 근처에 있던 4명도 의자에서 엉덩이를 뗀다.

그 순간 그들의 귀를 꿰뚫는 외침.

─멈춰! 움직이지 마!

지금 사람이 따라붙었다고 광고를 할 생각인가.

─당신들 가만히 있고, 2조가 따라붙습니다! 씨발! 뭉치지 말라고! 서로 간격 5미터 이상씩 유지해!

귀에 꽂아 놓은 이어폰에서 떨어지는 불호령에 그들은 조용히 엉덩이를 붙이며 먹던 음식을 마저 먹었다.


한편 음식점이 희미하게 보이는 어느 건물의 옥상 위.

망원경을 통해 인파를 헤치며 앞으로 나아가는 아흐메트를 주시하던 파미르의 눈이 떨린다.

'아버지. 왜 이렇게 늙어 버리신 겁니까, 아버지.'

못 본 지 고작 4년이다.

그런데 아버지 아흐메트의 등이 너무 왜소해졌다.

흰머리는 또 왜 저렇게 늘었는지, 이젠 검은 머리를 찾을 수가 없음에 이를 악문 파미르는 아흐메트가 시야에서 사라지고도 약 5분 동안 자리를 지키다가 돌아섰다.

\* \* \*

이후 파미르는 몇 번이나 약속 장소를 바꾸며 아흐메트를 수도 카불 외각의 아무도 없는, 이제 버려진 작은 동네로 안내했다.

—여기가 어딘지 기억하시나요?

아흐메트가 고개를 끄덕인다.

"네 엄마의 친가가 있던 곳이지."

아흐메트가 막 의사 면허를 땄던 시절, 이곳에 의료 봉사를 나왔다가 아내이자 파미르의 어머니를 만나게 되었다.

마치 운명이라는 듯 서로를 보자마자 한눈에 반한 둘.

아흐메트는 그 후 시간이 흘러 어린 파미르의 손을 잡고 동네를 구경시키며 주책없이 그 아름다웠던 사랑이야기를 들려주었다.

"결국 여기구나."

—외할아버지 집으로 가세요.

어느새 어둡다 못해 저녁 10시가 다 되어 가는 시각.

아흐메트는 가로등 불빛조차 없는 깜깜한 거리를 기억

에만 의지해 더듬더듬 나아갔다.

그렇게 얼마나 걸었을까.

아흐메트는 희미하게 불이 켜진 처가에 깜짝 놀라 걸음을 재촉했다가 작게 실망했다.

겨우 손바닥만 한 작은 앞마당에 세워져 있는 휴대용 손전등.

그런데…….

흠칫!

손전등 위에 놓인 반지를 발견하고 기겁한 아흐메트는 다급히 주위를 둘러봤다.

아내가 아들 파미르에게 남긴 유품. 훗날 부인을 얻으면 주라고 했던 그 반지였다.

아흐메트의 얼굴에 핏기가 사라진다.

"너, 너 설마……."

─정말 많이 늙으셨네요.

"파미르! 근처에 있니? 근처에 있구나! 얼굴을 보고 이야기하자! 이건 아니다, 아들아!"

─오늘 하루 즐거웠습니다, 아버지.

철렁!

"파, 파미르! 할 말이 있다, 파미르!"

─……뭔데요.

아흐메트는 입술을 깨물었다.

아들은 지금 죽으려 하고 있다. 죽음을 각오했다.

'결국 이러기 위해…….'

오늘 하루 추억을 더듬었나 보다.

아흐메트의 가슴에서 수없이 갈등이 일어났다.

그러다 그는…….

"……다치지 마렴. 사랑한다, 아들아."

결국 이런 선택을 내릴 수밖에 없는 아흐메트.

돌이키기엔, 아들을 다시 예전으로 되돌리기엔 너무 멀리 와 버렸다.

'미안하구나. 정말 미안하구나.'

아흐메트의 눈에서 눈물이 쏟아져 나왔다.

─신의 은총이 아버지와 함께하기를.

"신의 은총이 너와 함께하길……."

─그럼 안녕히.

달칵!

"커흐윽!"

결국 심장을 붙잡고 무너진 아흐메트.

아내의 유품이자, 이제 아들의 유품이 될 반지를 끌어안은 아흐메트는 하염없이 울고 또 울었다.

그렇게 얼마나 울었을까.

─수고하셨습니다, 아흐메트 씨.

아흐메트가 쓴 파콜 안에서 들리는 소리.

그 어떤 말로 아들을 버리기로 한 아비의 결단을 위로할 수 있을까. 애간장이 끊어지고, 뼈와 영혼이 깎여 나갈 그 아픔을.

종혁은 말을 아낄 수밖에 없었다.

그런 종혁의 마음이 전해진 건지 잠시 슬픔을 거둔 아흐메트가 걱정스런 표정을 짓는다.

"그런데 괜찮겠습니까? 이렇게 어두운데도 파미르를 찾을 수 있겠습니까?"

―괜찮습니다.

종혁은 하늘을 보며 입술을 비틀었다.

"저 위에서 다 지켜보고 있거든요."

―최종 목적지에서 6시 방향. 거동자 확인!

―발신자 위치 반경 50미터 내에 거동자 한 명뿐!

―타킷 마킹 완료! 식별 코드 부여 완료! 추적 시작합니다!

구우우웅!

저 높은 하늘에서 날아다니는 고고도 정찰기.

그리고 그보다 더 높은 우주에서 아프가니스탄을 지나가는 인공위성들.

이제 파미르가 도주할 수 있는 방법은 오직 죽음뿐이었다.

'허. 국가가 움직이니 이게 되네.'

파미르가 사용한 건 선불폰이었다.

외국에선 명의가 없이도 구매가 가능한 탓에 사용자 추적이 불가능한 선불폰.

범인을 쫓는 입장에선 정말 미치고 팔딱 뛸 노릇이다.

하지만 이렇게 정찰기와 위성을 통해서 실시간으로 감시할 수 있다면, 사용자 추적은 딱히 필요하지도 않았다.

─모하메드 씨, 부디…….

"예. 살리려 노력은 하겠습니다. 그럼."

전화를 끊은 종혁은 자신이 있는 승합차, 이동 본부를 보았다.

"파미르가 사용한 전화번호, 발수신자 내역 나왔습니까?"

"나왔습니다! 현재 위치주소 추적 중입니다!"

파미르가 쓴 게 제아무리 선불폰이라지만, 전화를 하기 위해선 기지국을 거쳐야 하고 그럼 기록이 모두 남게 된다. 심카드를 바꾸지 않는 이상 말이다.

고개를 끄덕인 종혁은 '아흐메트를 보호하라'는 지시를 내리곤 아프가니스탄 정보기관 요원이 앉은 운전석을 툭 쳤다.

"우리도 이만 출발하죠."

"예!"

부르릉!

'자, 이제 안내해라. 너희들이 있는 곳으로!'

인질들이 있는 곳으로 말이다.

\* \* \*

부우웅!

달리는 승합차 안.

허전한 목을 쓰다듬는 파미르의 표정이 다부지다.

모든 빈민을 내려놨으니 이제 남은 건 오직 임무를 완

수하는 것뿐.

그는 차를 몰아 수도 카불 근처의 마디안 샤 외곽, 어느 주택 앞에 차를 정차했다.

빵! 빵빵! 빠아앙!

약속된 신호가 울리자 열리는 주택의 문.

차에서 내린 파미르가 문을 열고 걸어 나오며 주위를 경계하는 동료를 끌어안는다.

"마수드."

"이 늦은 시간에 무슨 일이야, 파미르? 설마……."

지도자가 드디어 결단을 내린 것일까.

"어떻게 하시겠대? 성전을 펼치시겠대?!"

그게 어떤 것이든 들을 준비가 된 사내는 결연한 표정을 지었지만, 파미르는 씁쓸하게 웃을 뿐이었다.

'언질조차 안 하셨단 말인가.'

아무리 정신없지만 지도자답지 않은 실수였다.

"후. 지도자님께서 인질들을 모아 오라고 하셨다."

"인질들을?"

순간 상황을 파악한 사내의 얼굴이 딱딱하게 굳는다.

지금 자신들의 지도자는 최후의 성전을 준비하고 있는 것이었다.

"그럼 우리는?"

"후일을 부탁한다, 형제여."

"빌어먹을! 그게 무슨 말이야! 왜!"

"혹여 우리가 잘못되거든 우리의 뜻을 이어 가다오."

"너! 이……!"

"시간이 없다, 형제. 최대한 빨리 본단으로 가야 한다."

"빠드득! 들어와!"

안으로 안내된 파미르는 지하에 감금된 인질들을 보며 눈빛을 가라앉혔다.

"으!"

"아악! 잘못했어요! 살려 주세요!"

불빛이 비춰지자 다급히 구석으로 몸을 숨기며 벌벌 떠는 인질들, 아니 돼지들.

제아무리 이교라지만 신의 뜻을 펼치고자 이 땅을 침범했음에도 기개를 보이긴커녕 사람의 손길에 비명을 지르는 비루한 개새끼나 다름없는 모습에 토악질이 솟는다.

"걸을 수는 있으니까 걱정 마."

"……끌고 나와. 같이 갈 사람 한 명만 뽑고."

파미르는 다수의 인질들을 제어할 사람을 원했지만, 사내는 최후의 성전을 펼칠 신전을 구축할, 지도자님이 있는 본단으로 함께 갈 사람이라고 받아들였다.

"내, 내가 갈게! 내가!"

"……괜찮겠나, 형제?"

"난 언제든 신의 곁으로 갈 준비가 되어 있어, 파미르."

의지로 굳건한 사내의 눈을 잠시 동안 응시하던 파미르는 고개를 끄덕였다.

"그래. 함께 가자, 형제여."

"나도! 우리도 데려가!"

"미안하다, 형제들이여."

"빌어먹을!"

그들은 그렇게 영원한 이별이 될지도 모를 이별을, 언젠가 신의 세상에서 다시 만날 준비했다.


한편 그런 주택이 멀리 보이는 어느 건물의 옥상 위.

—타격 준비 완료. 명령을!

귓가를 때리는 외침에 종혁의 눈이 가늘어진다.

놈이 주택 안으로 들어간 지 5분.

명령만 내린다면, 2분 안에 수백 명의 대테러부대가 저 주택을 급습해 놈들을 사살하고, 인질들을 구출해 낼 거다.

하지만…….

'정말 저기가 놈들의 본부일까? 저곳에 인질들이 있을까?'

본부로 쓰기엔 좀 초라한 장소.

사람의 통행이 잘 오가지 않을 외진 곳이라 아지트로 쓰기엔 충분해 보이지만, 왜인지 선뜻 입이 열리지 않는다.

'뭐냐. 대체 뭐가 걸리는 거냐.'

—최!

—치익! 이봐, 최 팀장! 뭐하는 거야!

외교부 장관이 무전에 끼어들었지만, 종혁은 입을 열지 않은 채 다시 망원경을 들어 주택과 그 주변을 살폈다.

그러다 뭔가를 발견하곤 눈을 부릅떴다.

'어?'

종혁은 다급히 무전기를 잡았다.

"누구든 좋으니까 파미르가 타고 온 차에 지금 시동이 꺼져 있는지, 대문이 열려 있는지 확인해요!"

－여기는 찰리 3팀! 현재 시동이 켜져 있다!

'미친!'

차에 시동이 켜져 있다는 게 무슨 뜻이겠는가.

온몸의 솜털이 곤두선 종혁은 다급히 입을 열었다.

"중지! 타격 중지! 물러나!"

－뭐하는 거야, 최 팀장!

특수전 사령관과 외교부 장관이 외치자 종혁은 얼굴을 구겼다.

"시동이 켜져 있단 게 무슨 소리겠습니까! 다시 나온다는 뜻이잖아! 그리고 씨발! 협상단 무전 끼어들지 마!"

－너, 너!

"작전 터지면 모두 당신들 책임입니다. 그럴 각오가 됐으면 계속 끼어들고."

－…….

"지금부터 협상단 채널 아웃. 현 시간부로 작전 개입에 대한 모든 권한을 박탈합니다. 한국군, 씨발 너희 좆대로 움직였다가는 내가 어떻게든 니들 조진다."

－이, 이 어린놈이!

"댁들은 그냥 아가리 닫고 지켜나 보세요. 씨발."

-이, 이 개새끼가-!

치익!

-여기는 브라보 1팀. 포인트에서 변동 사항 발생! 놈들이 다시 나오고 있다! 자세한 관측은 불가능!

-찰리 2팀! 이, 인질로 추정된다! 다시 말한다. 놈들이 인질로 보이는 이들을 끌고 나오고 있다!

-브라보 3팀! 오정혜 확인! 오정혜 확인! 달란트가 맞다!

'그렇지!'

역시 다시 나올 줄 알았다.

그 순간 종혁의 머리가 빠르게 돌아간다.

왜 갑자기 인질들을 데리고 나오는 걸까.

'이 상황에서 답은 하나지! 인질을 한 장소로 모으는 거다!'

여차하면 다 함께 폭사할 준비를 하는 거다.

아니면 그렇게 겁을 주려고 모으는 거다.

제발 미국과 러시아를 말려 달라고.

"지금 주택에 몇 명이나 있습니까!"

-포인트 내 여덟 명 감지!

열화상 카메라로 감지가 된 거다.

"브라보 2팀, 찰리 4팀과 5팀. 현 포인트에서 대기! 언제든 타격할 준비하고, 나머지는 이동 준비!"

대한민국 특수부대에 부여된 콜 사인 브라보와 러시아 특수부대에게 부여된 콜 사인 찰리.

"놈들이 지금 인질을 한 장소로 모으고 있으니 신속이 움직여 주십시오."

ㅡ라져!

무전기를 내려놓은 종혁은 헛웃음을 터트렸다.

'아흐메트 씨가 정말 큰일을 해 줬군.'

"후. 우리도 가죠."

이제 정말 얼마 남지 않았다.

* * *

부우웅!

ㅡ타깃 출발.

"델타 5팀, 6팀. 현 포인트에서 대기. 언제든 타격 준비합니다. 나머지는 이동."

무전기를 내리며 차에 오른 종혁은 다시 어두워진 하늘을 봤다.

꼬박 하루가 걸렸다.

파미르가 하루를 동안 총 다섯 곳의 아지트를 돌아 인질들을 모으는 데 걸리는 시간이.

"그럼 이제 남은 곳은 한 곳뿐이군."

가즈니주 카라바그시 근처의 산. 혹여 인질에 피해가 갈까 봐 쫓아가지 못한 그 산.

마침 파미르들도 그쪽을 향해 달려가고 있다.

아마 그곳이 놈들의 최종 목적지일 터.

종혁은 무전기 들었다.

"여기는 캡틴 알파. 델타 캡틴. 응답 바람."

-델타 캡틴이다. 무슨 일인가.

"마지막 포인트 확인됐습니까?"

-해발 150 근방에서 현재도 사람 둘 육안으로 확인. 근처에 있는 동굴로 들어가는 것도 확인. 명령을 바란다.

이번 구출 작전이 시작되면서 가장 먼저 훑은 게 바로 카라바그 근처의 산이다.

정찰기에 특수부대, CIA까지 동원되어 하루 종일 훑은 결과 결국 놈들이 숨은 곳을 알아낼 수 있었다.

"브라보. 타깃들 차량에서 네비게이션 확인했다고 했습니까?"

-차량 세 대 전부 네비게이션 확인.

"수신."

잠시 무전기를 내려놓은 종혁은 생각에 잠겼고, 이동 본부에 탄 사람들은 그런 종혁을 뚫어지게 쳐다봤다.

'현재까지 새벽의 등불에 의해 살해된 인원 2명. 파미르들이 이동시키는 인질 숫자가 19명. 아직 파악되지 않은 인질 숫자가 2명.'

교수와 김해수라는 여대생이다.

그리고 다섯 곳의 아지트에서 확인된 새벽의 등불 조직원 숫자가 총 51명.

'파미르를 따라붙은 게 6명.'

이미 국정원이 파악한 놈들의 조직원 숫자는 넘어섰다.

하지만 그래도 두 배는 넘지 않을 터. 만약 조직원 숫자가 백 명이 넘었다면 어떻게든 정보기관에 걸렸을 것이다.

"그럼 남은 숫자가 30명 안쪽이라는 소린데……."

택시기사 샤리프처럼 정보를 물어다 주고 돈을 가져다 바치는 말단 조직원을 제외하면 마지막 아지트에 남아 있는 숫자는 훨씬 더 적을 거다.

'이걸 지금 따? 말아?'

─캡틴 알파. 타깃이 알파 포인트에서 우회전했다.

알파 포인트. 달란트가 새벽의 등불에 납치를 당한 지점이다.

그 순간 정신이 번쩍 든 종혁은 눈을 매섭게 빛냈다.

'어쩔 수 없군.'

이 결정으로 인해 아마 많은 피가 흐를 것이다.

하지만 놈들이 저 많은 인질들을 확보하게 둘 수는 없었다. 어쩔 수 없이 흘려야 하는 피, 이게 피를 최소한으로 흘리는 길이다.

"타깃이 브라보 포인트 통과까지 앞으로 7분!"

놈들이 인질을 나눠 흩어진 휴게소, 브라보 포인트.

모든 이가 종혁의 입을 응시했다.

꿀꺽!

어디선가 들리는 침 넘기는 소리.

종혁은 이를 악물며 무전기를 들었다.

"캡틴 알파가 전파한다! 폭스트롯 팀! 120초 후 브라보 포인트 차단! 델타, 에코 등 다섯 포인트에 대기하고 있는 전 병력 스탠바이! 420초 후 타격 돌입! 건십 브라보 포인트 지원 바람!"

쿠웅!

"현 시간부로 개진상 구출 작전을 시작합니다!"

─라져!

한국과 러시아, 미국, 아프가니스탄 총 4개의 국가가 21명의 인질을 구출하기 위해 움직이기 시작했다.

\* \* \*

쿵! 쿵!

"윽!"

움푹 파인 도로에 의해 크게 덜컹거린 승합차 안, 짐칸으로 개조된 트렁크 아래 숨겨진 공간에 구겨져 누워 있던 달란트 대학생들이 비명을 삼킨다.

마치 옛날 아프리카에서 아메리카로 향하던 노예선의 노예들처럼 높이 70cm 공간에 포개져 누워 있는 그들.

서로가 서로를 누르고 있지만, 그 누구도 그에 대해 불만을 토로하지 않는다. 아니, 못한다.

먹은 게 있어야 화낼 힘이라도 내지 않겠는가.

퍼석한 삶은 감자에 물 한 모금. 탈수 증상에 시달리는 그들은 그저 공허한 눈으로 생각에 잠길 뿐이다.

지금 자신들은 어디로 가는 걸까.

한국 정부는 자신들을 구하기 위해 노력하고는 있는 걸까.

자신들을 보호하신다는 주님은 왜 자신들을 구하지 않는 걸까.

"흑! 엄마……."

"아빠……."

부모님이 보고 싶다.

집에 가고 싶다.

시원한 에어컨 바람 아래 거실 소파에 누워 엄마가 잘라 준 수박을 한 손에 들고 TV를 보며 낄낄 웃고 싶다.

가족들과 치킨 앞에 둘러앉아 맥주를 마시고 싶다.

'하지만 그럴 수 없겠지…….'

저 무서운 사람들이 승광이랑 동철이를 죽였다고 했다. 이제 자신들도 그렇게 될 거다.

그 막대한 공포가 그들의 몸과 정신을 잠식해 갔다.

'제발. 제발…….'

누가 좀 구해 주길, 어서 한국으로 데려다주길 그들은 간절히 바랐다.

대학생들은 결국 눈물을 흘리며 설움을 터트렸다.

쾅쾅!

"Shut Up! be quiet!"

'끄흐읍!'

그들은 숨죽여 울었다.

그리고 그런 그들의 입을 막은 파미르는 콧방귀를 뀌며 앞을 봤다.

"돼지 새끼들."

"그럼 우린 돼지를 잡는 도살자인가? 아, 저놈들은 할
랄 처리도 안 되겠구나."

할랄은 신의 이름으로 허락한 음식이다. 이교도 따위가
감히 신의 허락을 받진 못할 터.

"하람 따위 먹는 거 아니다."

술이나 마약, 자연사했거나 인간에 의해 도살된 짐승의
고기 등과 같이 무슬림에게 금지된 음식 하람.

"푸핫!"

파미르의 농담에 운전대를 잡은 조직원은 웃음을 터트
렸고, 파미르도 피식 웃었다.

"아, 그런데 정말로 성전을 여는 거야?"

파미르의 눈빛이 서늘해진다.

"한국이 우리의 요구를 들어주지 않는다면."

"……들어주지 않기를 바라야겠네."

성전을 열어 장렬히 전사하면 아마 전 세계 모든 이교
도가 자신들을 영원히 기억할 것이다.

2001년, 미국의 심장에서 성전을 펼친 알 카에다처럼.

이교에게 악몽이 되는 건, 곧 신의 세상에서 영세의 명
예와 영화를 누리는 것.

신의 종으로서 그보다 더한 영광이 있을까.

새벽의 등불 조직원의 눈이 번들거리기 시작했고, 흡족
한 미소를 지은 파미르는 본단이 가까워져 가자 무기를
점검했다.

'쯧. 수류탄이라도 더 챙겨 올 걸 그랬나.'

혹시라도 있을지 모를 검문을 피하기 위해 총 몇 자루만 챙겼더니 든든하지가 않다.

거기다 왠지 모르게 불안하다.

'쯧. 사람들이 잘 이용하지 않는 도로니 별일이야 없겠지만…… 음?'

괜스레 약실을 확인하던 파미르는 갑자기 속도를 줄이는 선두 차량에 의아해하며 무전기를 들었다.

"뭐야? 무슨 일이야?"

─파미르, 골치 아프게 됐어!

"대체 뭐 때문에……."

창문을 열어 몸을 쭉 뺀 파미르는 낯빛을 굳혔다.

빠앙! 빠아앙! 빵!

경적을 울리는 세 대의 차량과 그 앞에 시옷 자 형태로 부딪쳐 도로를 꽉 막아 버린 거대한 트럭 두 대.

그런 트럭들 앞에 선 두 남성이 서로 손가락질을 하고, 그들로 인해 길이 막힌 차량의 운전자들이 파미르처럼 창문을 통해 몸을 빼 얼른 치우라고 외친다.

눈빛을 가라앉힌 파미르는 다시 무전기를 들었다.

"무슨 일인지 가서 살펴봐. 무장하고."

─알았어.

철컥!

소총의 노리쇠를 잡아당기는 파미르의 행동에 운전석에 앉은 조직원이 의아해했다.

"왜 그래?"

"느낌이 좋지 않아. 너도 무기 점검해."

"……알았어."

권총을 빼서 장전을 하고, 다른 손으로 수류탄이 든 주머니를 만지는 동료에게서 시선을 돌린 파미르는 누군가의 얼굴을 떠올렸다.

'아버지, 설마 아버지는 아니겠죠?'

갑자기 떠오른 아버지 아흐메트 얼굴. 표정이 더 굳는 파미르는 상황을 살피러 간 지 1분이 지났음에도 별말이 없는 선두 차량의 동료들에 이를 악물었다.

'빌어먹을. 정말인가!'

"까득! 아버지……."

─파미르, 이놈들 골 때리는데? 네가 길을 비키지 않았잖냐, 네가 갑자기 끼어들었잖냐며 싸우고 있어. 야, 이 하람푸드 같은 자식들아! 그렇게 싸울 시간에 차 빼라고! 사람들 기다리는 거 안 보여!

"후우……."

그때였다.

─파미르! 뒤에서 차량이 접근……!

퍽!

'응?'

갑작스런 후미 차량의 무전에 자신도 모르게 긴장의 끈이 다시 당겨지던 파미르는 운전석에서 들리는 소리에 고개를 돌렸다가 눈을 껌뻑였다.

마치 영화처럼 느려진 세상, 점점 자신을 향해 꺾여 지는 동료의 고개와 머리에서 튀어 오르는 핏방울.

그리고…….

타아앙!

"아버지-!"

한 발 늦게 터진 총성에 모든 걸 깨달은 파미르는 반사적으로 차문을 열고 뛰쳐나와 이쪽을 향해 총을 겨누는, 방금 전까지 경적을 울리고 있던 특수부대원들을 향해 총구를 겨누고 방아쇠를 당기려 했다.

하지만 그보다 빠른 게 있었다.

타다당!

'커헉!'

뒤에서 날아와 등을 때리는 막대한 충격들.

'아버지이!'

구우우우웅!

파미르는 하늘에서 들리는 비행기 소리와 사방에서 터지는 총격음, 그리고 분명 아무것도 없던 옆에서 튀어나오는 군인들과 뒤에서 들리는 발자국 소리에 잠시 정신을 잃었다.

\* \* \*

타다당! 타타타타당!

"겟 다운! 겟 다운!"

-1번 타깃 클리어!

-2번 타깃 클리어!

-3번 타깃 클리어!

고작 10초나 걸렸을까.

저격수들이 세 대 차량의 운전수를 동시에 제거하고, 트럭을 부딪쳐 길을 막은 폭스트롯 팀이 선두 차량의 새벽의 등불 조직원을 제거한 후, 도로 양 옆에 숨어 있던 특수부대원들이 나머지 차량을 급습해 제압하는 데 걸린 시간이 말이다.

정말 순식간이었다.

"후우우."

총구에서 하얀 연기가 솟아오르는 소총을 내린 종혁은 후미 차량으로 걸음을 옮겼고, 이동 본부의 요원들은 달리고 있는 차에서 뛰어내리면서도 정확히 파미르를 쏘아 맞춘 종혁을 경이롭다는 듯 응시했다.

그러는 사이 땅바닥에서 꿈틀거리는 파미르를 싸늘한 눈으로 일견한 종혁은 새벽의 등불 후미 차량의 트렁크 칸을 열고 비밀 공간을 찾았다.

덜컹!

"히익!"

"사, 살려 주세요!"

총격 소리에 겁에 질려 있는 개진상들, 아니 얼마나 못 먹고 괴롭힘을 당했는지 거지 폐인이 따로 없는 대명대학교 기독동아리 달란트 대학생들을 본 종혁은 치미는 짜증과 안도를 누르며 고개를 살짝 숙였다.

"많이 기다리셨습니다. 한국에서 왔습니다."

"네, 네?"

놀라 쳐다보는 그들.

이놈들을 어떻게 죽여야 할까 고민을 하는 종혁의 귀로 다른 곳에서 날아온 낭보가 전해진다.

−찰리 포인트! 클리어! 아군 피해 없음!

−델타 포인트! 클리어! 아군 피해 없음!

새벽의 등불의 아지트 다섯 곳을 동시에 급습한 특수부 대원들의 작전 완료를 알리는 무전.

"우아아아아아아!"

폭스트롯 팀과 이동 본부, 그리고 이동 본부와 함께 움직이던 모든 사람들이 양팔을 번쩍 들며 서로를 끌어안았다.

마찬가지로 주먹을 쥔 종혁은 멀리, 새벽의 등불의 마지막 아지트가 있는 방향을 매섭게 노려봤다.

'이제 남은 건 하나.'

아직 완전히 마음을 놓을 때가 아니었다.

\* \* \*

달빛조차 가려진 어두운 밤.

본단의 입구에 선 두 명의 새벽의 등불 조직원이 무언가를 질겅질겅 씹는다.

"퉤! 아우, 담배껌을 씹으니 좀 살겠네."

"어쩌겠어. 밤엔 담뱃불을 켜면 안 된다잖아."

날이 좋으면 몇 킬로미터 밖에서도 보이는 게 불빛이다.

밤에 함부로 담뱃불을 붙였다가 된통 혼난 적 있는 그들은 담배껌으로 허전한 입을 달랠 수밖에 없었다.

"그보다 파미르 씨가 좀 늦는데?"

"검문검색이 많아져서 좀 돌아오고 있대."

"그래? 흠. 그래도 너무 늦는 것 같은데…….."

"어련히 알아서 잘할까. 그보다 어제 내가 한 말 들었지?"

"아…….."

사내는 아히르의 말에 본단 입구 안쪽에 쌓인 폭탄들을 향해 시선을 돌렸다.

성전을 열 수도 있으니 언제든 신전을 구축할 준비를 마쳐 놓으라고 했던 파미르.

파미르가 복귀하면 저 폭발물들은 조립되어 본단의 입구에, 그리고 이곳으로 향하는 길목 사이사이에도 설치될 거다.

이것이 이들이 말하는 최후의 성전을 펼칠 신전 구축, 위대한 전사로서 생을 마감하고 신에게로 향할 성스러운 장소의 구축이었다.

오싹!

곧 신에게 향할 수 있다고 생각하니 온몸의 솜털이 곤두선 그들은 입술을 핥으며 살의를 드러냈다.

"푸흐. 빨리 오면 좋겠네."

"그러니까."

킬킬 웃는 그들은 몰랐다.

머리 위에서, 그리고 어둠이 내려앉은 양옆의 수풀에서 사신이 다가오고 있음을.

퍼억! 퍽!

우악스런 손길이 입을 틀어막고, 목과 심장에 칼이 꽂히는 그 순간에도 그들은 몰랐다.

"으읍?!"

'파미르?'

아히르는 뜨겁게 달군 쇠꼬챙이가 목을 헤집는 그 순간에 파미르를 떠올리며 눈을 감았다.

그리고 잠시 후.

지이이익!

동굴의 입구 위 산에서 레펠 하강을 하고 내려온 그림자들이 귀에 손을 가져간다.

"여기는 캡틴 브라보. 입구 클리어. 진입하겠다."

ㅡ캡틴 알파. 알겠다. 조심하십시오.

"걱정 마쇼. 이런 일은 신물이 날 정도니까."

지금도 밝은 세상의 이면에서 대한민국의 안보와 이익을 위해 해외를 누비는 대한민국의 대테러부대, 최상위 보안등급의 비밀 부대 707특임대와 HID(국군정보사령부 육상특임대).

"한 5분쯤 뒤에 들어오쇼. 너무 잔인하다고 토하지 말고."

우리의 목숨과 영혼과 명예를 국가에 바치노니.

혹여 죽어 한 줌의 흙으로 돌아가도 조국을 원망치 마라.

대한민국의 저승사자들이 킬킬 웃으며 소리 없이 동굴 안으로 진입했다.


"좀 늦는군요."

인질들을 데려오는 파미르에게 어떤 일이 생겼는지 알지 못하는 무함드는 긴장한 듯한 모습으로 입술을 핥았다.

파미르를 제거하는 것으로 이곳의 모든 일이 마무리될 터. 마지막을 앞두니 긴장되지 않을 수 없었다.

그런 무함드를 보며 피식 웃은 지도자는 가면을 벗으며 위스키를 입에 가져갔다.

'한국 정부가 말을 들어줘야 할 텐데……'

파미르에겐 성전을 열 거라고 말했지만, 솔직히 그는 죽을 마음이 없었다. 왜 여태껏 해 준 것 하나 없는 신을 위해 죽어야 한단 말인가.

한국 혼혈로 태어나 카불의 빈민가에서 남의 주머니나 노리던 자신을 구원해 준 건 회사다.

당시 회사에서 카불로 파견한 사원이 자신을 인턴으로 입사시켜 주면서 안정적인 월급으로 가족을 부양할 수 있게 되었고, 자식들을 학교에 보낼 수 있었다.

죽는다면 회사를 위해 죽어야 했다.

"그런데 회사는 왜 갑자기 이런 프로젝트를 진행한 겁니까?"

밝은 세상의 이면에서 활약하는 회사의 스타일과 맞지 않은 이번 프로젝트.

지도자는 현지 사원인 무함드의 말에 잠시 고민하다가 고개를 끄덕였다. 상황이 이 정도까지 흘렀으니 이젠 말해 줘도 될 것 같았다.

"회사에서 진행하는 어떤 프로젝트들을 위한 연막이라더군."

정확히는 대한민국의 정세를 혼란스럽게 만들고, 정부나 수사기관의 이목을 집중시켜야 한다고 했다.

그래야 다른 프로젝트들이 온전히 정착하고, 일의 진행에 탄력을 받을 수 있다고 했다.

"아직 내 보안 등급이 높지 않아서 자세한 내막은 모르지만, 연수원 안정화와 한화로 몇 조, 몇 천억짜리 프로젝트를 보조하기 위한 거라는 말은 들었지."

이것도 과거 자신을 구원해 준 당시 파견 사원이자 아버지로 모시는 이에게 물어 겨우 알아낸 거다.

"한화로 며, 몇 조 원이라면…… 헉?!"

그 돈이면 수도 카불의 절반 정도는 살 수 있지 않을까.

"걱정 마. 회사 스타일 알지?"

이 프로젝트만 성공한다면, 한국 정부와 교섭으로 얻어 낼 돈 중 20퍼센트를 자신들에게 주기로 했다. 일종의 보너스.

1000만 달러면, 200만 달러란 소리다.

아프가니스탄에서 200만 달러면 평생 동안 매일 미녀

를 바꿔 가며 자면서도 떵떵거리며 살 수 있는 액수.

"한 50만 달러는 저 병신들에게 나눠 줘야겠지만, 남은 걸 우리끼리 반씩 나눠도……."

꿀꺽!

"괘, 괜찮습니다. 전 30퍼센트만 주셔도 됩니다. 대신……."

"흐. 걱정 마. 넌 내가 어떻게든 데려갈 테니까."

"개처럼 부려 주십시오, 지도자님!"

지도자는 무릎을 꿇고 고개를 숙이는 무함드를 보며 입술을 비틀었다.

'흠. 한국에 도착하면 어디부터 갈까.'

본사에 들러 새로운 신분을 얻은 후에 갈 곳.

'한국 여자들이 참 야들야들하던데…….'

격렬히 반항하면서도 몇 대 얻어맞으니 순종적이 되어 버린 여대생 김해수의 살결을 떠올리며 음흉하게 웃던 그 순간이었다.

타다당!

그리 멀지 않은 곳에서 들려오는 총소리.

눈을 크게 뜬 지도와 무함드는 다급히 서로를 바라봤고, 소음은 점점 더 가까운 곳에서 들려오기 시작했다.

투다다다다당!

"막아!"

"지도자님께 못 가게 막아!"

투다다다당! 꽈아아아아앙!

"미친⋯⋯!"

그들은 다급히 CCTV를 확인했다.

그리고 이내 절망했다.

"어, 어떻게⋯⋯."

어떻게 사신들이 이렇게 가까이 올 때까지 모를 수 있단 말인가. 아니, 그 전에 저들이 어떻게 이곳을 찾을 수 있었단 말인가.

"이, 인질! 인질들을 데려⋯⋯."

"저기 보십시오, 지도자님!"

사신들이 인질들을 데려가고 있다.

"씨발!"

"지도자님!"

"닥치고 가만있어 봐! 생각 중이잖아!"

"뭘 생각합니까! 도망부터 가야죠!"

"아!"

맞다. 혹시라도 이런 사태를 대비해 숨겨 놓은 비밀 통로가 있다.

하지만⋯⋯.

"빌어먹을!"

사신들이 그 비밀 통로가 있는 구역으로 진입하고 있다. 새벽의 등불 조직원들보다 사신들의 위치가 더 가까운 상황.

'어떡하지? 대체 어떡⋯⋯.'

지도자는 자신이 생각에 잠긴 사이 어느새 무기를 챙겨

든 무함드를 보며 눈을 가늘게 떴다.

떠올랐다. 이 상황을 타계할 아주 기가 막힌 생각이.

"따라와!"

"아, 알겠습니다!"

다급히 방을 나선 지도자는 동굴을 울리는 총소리와 폭발 소리의 근원지를 향해 걸음을 옮겼다.

"왜, 왜 이쪽으로······."

"어차피 도망치기는 글렀어. 인정하지?"

"예, 예."

"그럼 살길은 하나지."

"뭐, 뭡니까?"

"우리도 인질이 되는 것."

"······!"

지도자는 놀라면서도 경의를 담아 자신을 쳐다보는 무함드를 무시하며 옆에 있는 문을, 식자재를 저장하는 창고의 문을 열며 옷을 모두 벗었다.

그러곤 따라 옷을 벗으려는 무함드를 향해 손을 내밀었다.

"일단 권총이랑 수류탄 하나 줘 봐."

"예? 예, 여기 있습니다."

"아, 고마워."

철컥! 타아앙!

"어?"

가슴을 때리는 둔중한 충격에 한 발 물러난 무함드는

피가 번져 가는 가슴과 이쪽을 향해 총구를 겨누고 있는 지도자를 번갈아 보며 의아해했다.

"지도자…… 님?"

"넌 이미 저놈들에게 드러났잖아. 그리고 내가 흙먼지 좀 뒤집어써야 할 필요가 있어서 말이야. 그동안 날 보좌하느라 고마웠고, 마지막까지 수고했다. 무함드 현지 사원."

달칵.

수류탄의 안전클립을 제거한 지도자는 무함드의 발치 아래 수류탄과 권총을 던지곤 창고 안으로 들어가 문을 닫았다.

그리고 무함드는 발끝에 부딪쳐 멈춰 선 수류탄을 보곤 어이없다는 듯 웃었다.

"개새끼."

콰아아아아아아아아아앙!


\* \* \*


지독한 침묵이, 그리고 숨이 막히는 긴장이 내려앉은 상황 본부.

모든 이들이 놈들의 마지막 아지트로 들어간 캡틴 브라보, 특임대의 무전을 기다리고 있다.

'제발. 제발…….'

'구해야 한다. 어떻게든 구해야 한다. 남은 둘까지 구해

내지 못하면 좆된다…….'

19명을 구했어도 막판에 삑사리가 나면 이 자리에 있는 사람들, 한국 정부 관계자들 전원 옷을 벗어야 한다.

'하나님, 부처님, 누구라도 좋으니 제발 좋은 소식이 전해지기를…….'

치익!

SVR 및 스페츠나츠의 사령관, CIA 및 미 특수부대 네이비 씰의 사령관, 아프가니스탄 정부 관계자, 국정원 중동 파트 차장, 특수전 사령관, 외교부 장관, 그 외 수백 명의 사람이 소리가 나는 무전기를 다급히 쳐다본다.

─여기는 캡틴 알파. 여기는 캡틴 알파.

"드, 듣고 있다. 캡틴 알파! 말하라!"

─현 시각부로 상황 종료. 다시 전파한다. 현 시각부로 개진상 구출 작전을 종료한다. 브라보, 찰리, 델타 등 아군 총 피해 경상 및 중상 열둘. 사망자 없음.

"인질은! 인질은 어떻게 됐어!"

갑자기 끼어든 외교부 장관이 무전기를 낚아챈다.

함성을 지르려던 모두의 얼굴을 구겨졌지만, 외교부 장관은 그걸 신경 쓸 정신이 없었다.

'한 명이라도 다쳤으면 넌 내가 어떻게든 옷 벗긴다!'

언론에서 무리한 구출 작전이었다 뭐다 하면 자신의 목이 날아갈 판이니 그는 눈에 뵈는 게 없었다.

─……인질 전원 구출. 이상 통신 끝!

쿠우웅!

"우아아아아아아!"

"씨발! 믿고 있었다고, 최 팀장─!"

"으아아아아아악!"

상황 본부가 축제 분위기에 휩싸였고, 외교부 장관은 다급히 핸드폰을 들었다.

"대통령니임─!"

한국에 이 기쁜 소식을 전해야 했다.

* * *

"종훈아! 정신 차려, 인마!"

"때, 때리지 마. 아파…….."

"다, 다리에 감각이 없습니다, 고 중사님."

"너 그냥 스쳤어, 새꺄."

작전을 무사히 끝마친 사람들로 가득한 동굴의 입구.

무전기를 내린 종혁은 서로 떨어져 앉은 교수와 김해수를 보며 눈을 가늘게 떴다.

'에혀. 지금은 관두자.'

패도 지금은 패는 게 아니었다.

거기다 무슨 험한 꼴을 당한 건지 모포를 감싼 채 방어적인 자세를 취하며 주위를 경계하는 여대생 김해수.

어떻게든 말을 걸려 노력하는 교수에게서 멀어지려는 모습을 보니 그동안 무슨 꼴을 겪었는지 안 봐도 비디오였다.

투다다다다다!

"푸후우……."

저 멀리서 들리는 헬기 소리에 한숨을 푹 내쉬며 돌아선 종혁은 그제야 담배를 물었다.

찰칵! 찰칵!

하지만 생각과 다르게 켜지지 않는 라이터.

그런 종혁의 코앞에 라이터가 내밀어진다.

화륵!

"그 잘나셨던 캡틴 알파도 긴장을 하셨나 봅니다? 어이구, 손에 땀 봐라."

"아, 대장님."

종혁은 아직까지도 고글과 마스크로 입을 가린 HID의 대장, 캡틴 브라보를 향해 고개를 숙였다.

"수고하셨습니다. 부상을 당한 분들은 좀 괜찮습니까?"

마지막 아지트 돌입 작전에 부상을 당한 인원이 총 여섯 명.

다행히 생명에 지장이 가거나 장애가 남을 정도의 부상을 입은 사람은 없다지만 멋대로 군 철없는 놈들 때문에 하마터면 흘리지 않아도 될 피가 흘릴 뻔했다.

"뭐 침 바르면 나을 상처죠. 캡틴 알파, 아 최 팀장도 수고했습니다. 아니……."

돌연 차렷을 한 캡틴 브라보가 거수경례를 한다.

"훌륭한 오더였습니다, 캡틴 알파. 당신과 작전을 수행하게 되어 영광이었습니다."

종혁이라고 했다. SVR과 스페츠나츠, CIA와 네이비 씰과 그린베레, 아프간 미 파견군을 불러온 사람이.

대한민국 정부도 하지 못한 일을 일개 경찰이, 그것도 이렇게 어린 경찰이 해낸 거다.

거기다 그 시기적절한 오더는 또 어떻던가.

정체가 뭔지는 모르겠지만 덕분에 인질들을 모두 구할 수 있었고, 세계 최고의 특수부대가 제공하는 최신식 장비들과 든든한 지원 덕분에 자식 같은 대원들이 다치지 않고 무사히 작전을 완수할 수 있었다.

충분히 경례를 받아 마땅한 인물이었다.

'이 친구가 군인이었으면 얼마나 좋았을까.'

참으로 아쉬웠다.

이런 캡틴 브라보의 마음이 전해진 건지 표정이 진지해진 종혁도 차렷을 하며 경례를 받았다.

정말 구하기 싫은 놈들임에도 대한민국 국민이라는 이유 하나로 달려와 기꺼이 총구 앞에 서 준 영웅들.

이런 영웅들에게 인사를 건네지 않을 순 없었다.

"휴가 나오시면 연락하십시오. 전우들에게 술 한잔 찐하게 사고 싶으니."

"오! 저흰 무박 휴가인데 괜찮으십니까?"

휴가 기간이 며칠이든 무박 휴가. 잠도 자지 않고 술만 푼다는 소리다.

"체력 하면 저도 빠지지 않습니다. 각오 단단히 하고 오십시오."

"푸흐흐!"

"그리고…….."

잠시 말을 줄인 종혁이 캡틴 브라보의 귓가로 얼굴을 가져간다.

"이번 소요가 진정되면 나라에서 보너스가 내려갈 겁니다. 강남은 무리라도 수도권에서 20평대 아파트 한 채 정돈 살 수 있을 겁니다. 이번 작전에 참가한 특수부대원들 전부."

그동안 아프간에서 고생한 파견군들도 두둑한 상여금을 받을 거다.

흠칫!

"자세한 이야기는 윗분들의 어두운 거래에 관련된 쪽이라…….."

경악하며 종혁을 봤던 캡틴 브라보가 어이없다는 듯 웃는다.

'이 젊은 친구의 정체가 대체 뭐지.'

군인의 보너스가 그렇게 많다? 말도 안 된다.

분명 눈앞의 종혁이 무슨 마법을 부린 것일 터였다.

"흐. 이거 대원들이 들으면 정말 좋아할 이야기군요. 제 마누라도요."

"큭큭. 함께해서 영광이었습니다."

"저 역시. 한국 가서 봅시다."

"예. 한국에 가서."

이제 돌아갈 시간이었다.

종혁은 담배 연기를 길게 뿜었고, 캡틴 브라보는 킬킬 웃다 표정을 굳혔다.

"부대—! 차렷!"

갑작스런 그의 외침에 행동을 멈추고 캡틴 브라보를 보는 사람들. 캡틴 브라보는 다시 종혁을 향해 거수경례를 했다.

"캡틴 알파를 향하여 경례!"

"충성—!"

"……충성."

그렇게 개진상 구출 작전이 뒷정리까지 완벽하게 마무리되었다.

"팀장님! 팀장니임—! 인질이 한 명 더 있어요—!"

"……뭐?"

종혁은 다급히 동굴 안에서 뛰쳐나오는 최재수와 웬 거지 몰골의 사람을 부축해 나오는 오택수를 봤다.

＊　＊　＊

—살려 주세요! 잘못했어요!

아무리 애원하고 빌어도 멈추지 않던 악마들.

정말 자신이 구해진 게 맞는 것일까.

꿈을 꾸고 있는 게 아닐까.

분명 사람들이 옆에서 호위하듯 함께 걷고 있지만, 김해수는 실감이 나지 않았다.

사방에서 돌아다니는 군인들.

싸늘한 쇳덩이 냄새와 비릿한 피 냄새.

모든 게 그녀의 일상과 동떨어진 것이었기에 더 실감이 나지 않았다.

"모두 이 안에 있습니다."

움찔!

몸을 굳힌 김해수는 자신을 안내해 준 사람을 봤다가 이내 입술을 깨물며, 부디 꿈이 아니길 바라며 문의 손잡이를 잡고 돌렸다.

그러자…….

"해수야!"

"해수 언니!"

해수는 벌떡 일어나 이쪽을 향해 달려오는 친구들의 모습에, 와락 껴안기며 느껴지는 뜨거운 온기에 마침내 인정할 수밖에 없었다.

"아!"

구해졌구나.

'나 정말로 구해졌구나. 한국으로 돌아갈 수 있구나…….'

엄마를, 아빠를, 동생을, 강아지 초코를 다시 만날 수 있다.

"흑! 흐어어어어어어엉!"

김해수는 결국 참고 참았던, 뱉어 내 봤자 맞기만 해서 참아야 했던 울음을 모두 쏟아 냈고, 이미 한바탕 울어 눈가가 퉁퉁해진 대명대학교 달란트 대학생들도 다시 울음을 터트렸다.

그렇게 그들은 울고 또 울었다. 울고 또 울며 서로를 위로했다.

교수가 들어올 때까지 말이다.

"현아야! 종석아!"

멈칫!

순간 울음을 멈춘 대학생들이 교수를 응시한다.

복잡하고도 미묘한 시선.

하지만 그걸 눈치채지 못한 건지 교수는 양손을 모으며 무릎을 꿇었다.

"오, 주님! 당신의……."

"아니야."

입을 다문 교수는 흠칫 놀라고 말았다.

원망이 가득 담긴 눈빛들을 한 대학생들이 그런 그를 보며 이를 악물었다.

계속 외쳤다.

살려 달라고. 저 간악한 이교도들을 물리치고, 이 어린 양을 구해 달라고.

매일 아침, 점심, 저녁, 새벽. 눈을 뜬 모든 순간에 신을 찾고 찾았다.

그런데 신은 응해 주지 않았다.

대신 다른 곳에서 응해 주었다.

"아니에요. 우리를 구한 건 주님이 아니라 군인들이에요."

"맞아요. 주님은 우리가 힘들 때…… 힘들 때……."

울컥한 대학생들의 눈이 뜨겁게 달아오른다.

교수는 그러한 제자들의 모습에, 불신자가 되어 버린 제자들의 모습에 분노가 솟구쳤다.

'이 바보 같은 것들! 주님께서 그 군인들을 보냈다는 걸 왜 모르는 거냐!'

이렇게 멍청할 수 있을까.

그러나 입 밖으로 내뱉을 수가 없다. 분노와 함께 살고자 하는 욕망도 솟구쳤기 때문이다.

'이놈들이 허튼소리를 하면 난 끝이야!'

제자들을 인질로 만든 교수.

주님께 인도해야 할 어린양들을 이교도의 아가리에 처넣은 전도사.

대학과 사회와 종교계에서 매장을 당할 거다.

"아, 아하하. 그, 그래. 지금은 이런 이야기를 할 때가 아니지! 모두 괜찮았니? 다친 곳은 없고?"

"……."

"하하하. 그래. 마, 많이 힘든가 보구나. 일단 쉬고 있으렴. 나, 난 잠시 화장실 좀!"

대학생들의 눈빛을 이기지 못한 교수는 도망치듯 방을 빠져나갔고, 그런 그를 노려보던 대학생들은 이내 서로의 손을 붙잡으며 온기를 나누었다.

그리고 잠시 후, 그들은 아프가니스탄의 수도 카불로 향하는 군용기에 몸을 실었다.

"오고 있대?"

"지금 오고 있다고 합니다."

"그런데 왜 아직까지 차가 안 보이는 거야! 가서 얼른 다시 물어봐! 비행기가 추락을 했을 수도 있고, 오는 길에 폭탄 테러에 휘말렸을 수도 있잖아!"

"예, 예!"

협상단이 머무는 호텔 입구, 외교부 장관의 재촉에 보좌관이 다급히 몸을 돌리는 순간이었다.

부우우우웅!

저 멀리서 들리는 자동차 소리.

고개를 돌린 외교부 장관은 저 멀리서 다가오는 검은색 차량들을 보곤 눈을 빛낸다.

'왔구나!'

"내 옷차림 어때. 괜찮아?"

"최고십니다, 장관님!"

고개를 끄덕인 외교부 장관은 자신의 앞에 차가 멈춰서며 뒷문이 열리자 환하게 웃으며 양팔을 벌렸다.

"오오오! 정말 수고 많으셨……."

덥썩!

"으응?"

"사, 살려 내! 우리 승광이 살려 내라고-!"

어떻게든 살고자 하는 교수의 간절한 외침이 거리를 울렸다.

*　*　*

한편 그로부터 몇 분 전.

협상단이 머무는 호텔로 향하는 차 안에 앉아 대학생들이 타고 있는 선두 차량들을 보며 어떻게 요리해야 할까 입맛을 다시던 종혁이 옆자리에 앉은 완전무장한 군인을 보며 한숨을 내쉰다.

헬멧과 고글, 마스크로 얼굴을 완전히 가린 그.

"그래서 아는 척은 언제 할 건데요, 세브첸코 씨?"

움찔!

종혁의 러시아 어에 놀라 몸을 굳히는 군인.

그의 정체는 종혁과 인연이 깊은 스페츠나츠의 훈련 교관, 세브첸코였다.

"……으하하하핫! 최!"

결국 고글과 마스크를 벗은 세브첸코는 종혁을 와락 껴안았고, 그의 여전한 장난기에 피식 웃은 종혁은 그런 그를 뜨겁게 안았다.

교관직에서도 물러난 세브첸코가 이곳에 와 있는 이유가 뭐겠는가. 자신의 부름에 응해 준 거다.

"고마워요. 진심으로."

"친구가 부른다면 지옥 끝이라도 가야지. 그딴 걸로 감사하는 거 아니야, 친구. 그래서 우리 스페츠나츠를 지휘해 본 소감은?"

"……최고였죠."

그냥 최고였을까.

오더를 내리는 그대로 작전을 수행해 준 인간 병기들. 솔직히 팀원으로 데려가고 싶어서 미치는 줄 알았다.

"그건 네이비 씰과 그린베레도 마찬가지였고요."

갑작스런 종혁의 영어에 보조석에 앉아 있던, 방금 전 세브첸코처럼 얼굴을 완전히 가리고 있던 장년의 백인 사내가 선글라스와 마스크를 벗는다.

"눈치까지 대단할 줄은 몰랐군요. 네이비 씰의 존 대위입니다. 우리 씰의 명예 훈련 교관을 만나게 되어 영광입니다. 제가 오늘의 만남을 얼마나 기다렸는지 모를 겁니다, 최."

그렇게 말하는 존 대위의 눈이 뜨겁다.

종혁의 훈련법을 도입한 이후 네이비 씰을 비롯한 해육공군 특수부대원들의 작전 수행 능력이 무려 2배나 상승했는데, 그 훈련법을 창시한 인물이 눈앞에 있는데 어찌 진정할 수 있을까.

종혁은 애정으로 가득한 그의 눈에 입을 떡 벌렸다.

"며, 명예 훈련 교관이요?"

"어이, 미제 물개! 최는 우리 스페츠나츠의 훈련 교관이다! 어디서 그 더러운 물갈퀴를 들이미는 거야! 물개면 물개답게 주인에게나 꼬리를 흔들어!"

"하! 너희 스페츠에겐 너무 과분한 존재라고 생각하지 않나, 작은 곰?"

"자, 작은 곰……? 야, 내려! 러시아 불곰의 발톱 맛을 확실하게 보여 주지!"

"하! 누가 겁낼 줄 알고?!"

러시아 남자들이 상남자라면, 미국 남자는 마초다.

태어나길 사람으로 태어났으나 마초가 되기를 교육받고, 마초로 자라나며, 마초로서 죽는 미국 남자.

이대로 두면 정말 싸울 것임을 알아차린 종혁은 관자놀이를 누르며 입을 열었다.

"다들 그만. 우리 싸워도 술은 마시고 싸웁시다."

움찔!

"술?"

"내 스케일 알죠, 셰브?"

이번 작전에 참가한 4국 연합군 전부가 마시다 죽어도 될 만큼의 술과 안주를 공수해 놨다.

그런 종혁의 말에 세브첸코와 존 대위의 눈이 번뜩인다.

"오, 빌어먹을. 오늘 먼저 간 아들을 만나러 가겠군."

"그래서 싫어요?"

"그럴 리가. 술을 마다하면 러시아 남자가 아니지!"

종혁은 당신은 어쩌냐는 듯 존 대위를 응시했고, 존 대위는 흥분으로 떨리는 눈으로 입을 열었다.

"우리 네이비 씰은 술을 무한대로 마십니다, 최."

"항공모함을 가득 채울 정도로 사 드리면 되나요?"

"오, 퍽킹 그레이트. 신이시여, 오늘 제가 당신의 아들을 영접했나이다.”

종혁은 리액션이 풍부한 두 남자들에 키득키득 웃었다.

“자, 그럼 그때까지 서로 입을 다무는 겁니다. 오케이?”

“Sir, Ye sir!”

“Ⅱ a !”

드디어 진정됨에 한숨을 내쉰 종혁은 가까워지는 호텔을 보며 어깨에 힘을 풀었다.

드디어 안전 구역에 도착했다.

이제 한국으로 돌아가는 것을 제외하면 정말로 다 끝난 거다.

‘음. 그나저나 국장님 날 살려 두시려나 모르겠네.’

사고를 치지 말라고 경고를 받았음에도 사고를 거나하게 쳤다.

종혁은 갑자기 귀국이 꺼려지기 시작했다.

거기다 다른 문제도 종혁의 머릿속을 어지럽힌다.

‘또 다른 인질이라…….’

놈들의 마지막 아지트에서 구한 사십대의 아프간 혼혈. 일단 현재까지 조사된 바에 의하면 그는 불과 작년까지만 해도 번듯한 외국계 회사의 회사원이었다.

그러다 어느 순간 갑자기 실종. 그의 증언에 따르면 새벽의 등불의 노예로 살았다고 했다.

‘그런데 붙잡혀 있던 다른 인질들하고는 너무…….’

물조차 제대로 마시지 못한 것인지 기아에 시달리고 탈수 증상을 보였던 인질들.

그러나 그 아프간 혼혈인은 작년부터 붙잡혀 있었다는 것치곤 몸이 멀쩡해 보였다.

그리고 무엇보다.

'……분명 술 냄새였어.'

종혁이 생각에 잠기는 사이 차는 호텔 앞에 도착했다.

툭!

"이봐, 최. 내리자고. 얼른 가야지."

"하하. 예."

그렇게 종혁이 차에서 내리는 순간이었다.

"사, 살려 내! 우리 승광이 살려 내라고−!"

종혁의 귀를 매섭게 꿰뚫는 외침.

종혁은 외교부 장관의 멱살을 잡은 교수와 그런 그를 보며 놀라는 대학생들의 모습에 잠시 멍해졌다.

"……하, 씨발."

얼굴에서 감정이 사라진 종혁은 교수를 향해 뚜벅뚜벅 걸어갔다.

"당신들이 조금만 더 일찍 왔어도……! 협상에 얼른 임하기만 했어도……!"

개소리. 말도 안 되는 개소리다.

"야!"

결국 폭발한 종혁은 진심으로 그의 발목을 걷어차 버렸다.

뻐어어억! 쿵!

"으아아아아아아악……!"

부러져 버린 발목을 붙잡고 데굴데굴 구르는 교수.

종혁은 그의 얼굴에 싸커킥을 먹였다.

"이, 이봐! 최 팀장!"

"최 팀장, 잠깐!"

주위에서 다급히 나섰지만, 무시한 종혁은 교수의 가슴에 발을 얹고 무게를 실었다.

"야. 죽지 않아도 됐을 젊은 청년들을 죽인 사람이 누군데 그딴 말을 지껄이는 거지?"

바로 눈앞의 교수다. 교수가 그 지랄만 안 했어도 이들은 아프간에 올 일이 없었고, 조금만 주의를 기울였어도 새벽의 등불에 납치를 당하지 않았을 거다.

뿌드드드득!

"컥! 아악! 아아악! 너, 너 겨, 경찰이……."

"너희 스물 한 마리의 개새끼들을 구하기 위해 대한민국 정부가 현재까지 투입한 자금이 총 1686억 7892만 6023원."

이 대단한 사람들의 출장비와 체류비, 아프간에 협조를 구하기 위해 찔러 넣은 협조비.

그리고 결코 겉으로 드러나면 안 되는 국정원 중동 파트의 노출에 의한 중동 파트 재설립에 대한 비용과 마찬가지로 드러나면 안 되는 특수부대 동원에 든 비용 및 위험 수당까지.

그 수만 가지 항목을 모두 합했을 때 발생한 금액 약 1686억.

"여기에 미 특수부대와 파견군, 러 특수부대들을 데려

오고 작전에 동원하면서 발생한 자금 572억 3200만 원 플러스. 또 여기에 아프간 정부군 및 경찰 동원에 든 비용 130억 플러스."

한화로 총 2382억 1092만 6023원.

"마지막으로 대한민국 정부가 미국과 러시아에 도움을 요청하면서 진 빚, 앞으로 언제 독촉할지 모르는 그 유무형적 채무까지 합하면 그 몇 배 이상. 여기에 하지 말라는 짓을 함으로써 유승광 씨와 김동철 씨를 살해되게 만들었으니 그에 대한 미필적 고의에 의한 방조죄 성립. 다들 인천공항 떠나기 전에 동의서 작성했지?"

[위의 사항으로 인해 대한민국에 피해를 줄 시 그로 인해 발생하는 모든 피해에 관한 금전적인 보상과 피해에 관한 책임을 지며, 법적인 처벌을 받을 것에 대해 동의한다.]

종혁은 파랗게 질리는 교수와 대학생들을 보며 이를 드러냈다.

"내가 씨발 1원 한 장까지 어떻게든 받아 내고 만다. 그러니 2382억 대 처맞기 전에 아가리 싸물어, 이 개새끼들아."

교수와 대학생들은 종혁의 눈을 피해 고개를 숙였다.

＊　＊　＊

"으하하하! 부어라! 마셔라! 죽어라!"

아프간 특수부대원들까지 슬그머니 끼어든 술자리는 난장판이었다.

희생자 한 명 없이 작전을 성공한 와중에 공짜 술이 주어졌으니 당연히 술이 꿀처럼 넘어갈 수밖에 없었다.

그건 종혁도 마찬가지였다.

"최!"

"에휴…… 간다, 가."

서로를 죽일 듯 노려보며 종혁을 부르는 세브첸코와 존 대위.

그렇게 그들과 어울려 온종일 술을 푸던 종혁은 갑자기 조용해져 버린 연회장에 고개를 들고 둘러봤다가 혀를 찼다.

"뭐가 무박 휴가야……."

죄다 술병을 끌어안고 장렬히 전사해 있다.

"야, 최재수. 오 경감님, 인나 봐요. 야, 오택수. 인나라고! 나 술 부족하다고!"

바닥에 붙인 전을 베개 삼아 혼절한 재수와 오택수의 볼을 후려치던 종혁은 고개를 저으며 일어섰다.

"에이. 방에 가서 마셔야겠네."

씻고 맥주 한 잔만 더 하고 자야 할 것 같다.

종혁은 들고 있던 위스키를 입에 꽂아 넣었고, 그게 한계의 마지노선이었는지 갑자기 눈앞이 핑 돌며 바닥이 가까워졌다.

"어우, 안녕?"

와락!

"괜찮아요, 최?"

"어? 자말이다."

완전히 풀려 버린 종혁의 눈이 배시시 웃는다.

"고마워요, 자말."

흠칫!

"제가 한 게 있을까요?"

"왜 없어요. 엄청 많지."

자말이 부인 역할을 완벽히 해내 주었기에 놈들이 끝까지 방심한 것이다.

만약 자신이 한국인이라는 게 들통났다면 이번 작전은 아마 이렇게 쉽지 않았을 거다.

"즉! 이번 작전 성공은! 모두 우리 부인 때문이랍니다아."

양팔을 퍼덕거린 종혁은 자말을 꼭 끌어안았다.

"정말 고마워요, 자말. 그러니…… 앞으론 당당하게 걸어요."

자말과 함께 다닐 때 그녀는 언제나 종혁의 반 발자국 뒤에서 걸었다. 그렇게 연기를 해야 해서 그랬던 게 아니라 영혼에 각인되어 버린 오랜 습관처럼 그렇게 다녔다.

그런 종혁의 말에 자말의 눈이 파르르 떨린다.

"……당신은 정말 다른 남자와 많이 다르네요."

"그거 칭찬 맞죠? 내가 형사라서 주위를 좀 잘 살펴요."

"마지막 말은 아웃. 후후. 가요. 데려다 드릴게요."

"어우. 그럼 신세 좀 질게요."

신세를 지지 않으면 기어서 엘리베이터를 탈 판이다. 아니, 엘리베이터로 가다가 복도에서 잠들지 않으면 다행이었다.

그렇게 침대 앞에 도착한 종혁은 다시 자말을 끌어안았다.

"고마워요. 정말 고마웠어요. 아! 어우, 미안해요. 나 이런 남자 아닌데."

그제야 자신이 상대의 동의도 없이 스킨십을 했다는 걸 깨달은 종혁은 황급히 물러나다 침대에 걸려 침대 위로 넘어졌다.

"어우 진짜 왜 이러냐. 그럼 조심히…… 가요. 내일……."

침대의 포근함이 온몸을 감싸자 급격히 정신이 흐려진다.

그래서 그는 알지 못했다.

침대보다 더 포근한 무언가가 자신의 몸을 감싸는 것을. 셔츠의 단추가 하나씩 풀리는 것을.

"그런 남자여도 돼요. 이런 상황에서 매너는 정말 나쁜 행동이거든요."

"아…… 그래…… 요. 네…… 죄송……."

종혁은 귓가에 닿는 뜨거운 숨결과 입속을 파고드는 그립고 물컹한 무언가를 느끼며 필름이 완전히 끊겨 버렸다.

\* \* \*

벌떡!

눈을 뜨자마자 몸을 일으킨 종혁은 완전히 벗겨진 옷과

몸에 남은 타인의 흔적을 발견하곤 마른세수를 했다.

'사고 쳤다.'

이후 일이 어렴풋이 기억난다.

진급을 위해 미쳤던 회귀 전과 후 모두 합해 거의 20여 년간 절제된 생활을 한 종혁.

그도 남자였다.

이성과 정신이 무장해제가 된 상태에서 자말 같은 미녀가 육탄 공격을 해 오는데 참을 수 있을 리가 없었다.

그 순간 소영, 이리나, 미진, 현희, 나탈리아 참 많은 여성의 얼굴들이 머릿속을 스친다.

"아니, 얘들이 왜 떠오르고 난리야!"

나탈리아라면 모르되 나머진 아니었다.

'아니, 아닌 건 아니지만!'

종혁이라고 어찌 그녀들의 마음을 모를까.

"아오! 미치겠네!"

다급히 핸드폰을 찾았던 종혁은 핸드폰 밑에 깔린 쪽지를 보곤 굳어 버렸다.


[다음에 또 봐요, 최. 당신의 친구 자말이.]


부담 갖지 말고 친구로서 지내자는 그녀의 의지가 보이는 쪽지.

"후우."

다시 마른세수를 한 종혁은 핸드폰을 들어 자말에게 전

화를 걸었다. 하지만 역시나 전화를 받지 않는 그녀.

"린치, 자말 좀 바꿔 주시겠어요?"

—오, 저런.

종혁은 눈을 가늘게 떴다.

"오늘 새벽에 다른 해외 지부로 이동이 됐다, 랭리로 돌아갔다 그런 거짓말을 하려는 건 아니죠?"

—거짓말이 아니라 진실입니다, 최. 그녀는 이번 작전 때문에 노출이 됐거든요.

아프간 정부에 노출된 게 치명적이었다. 그녀는 더 이상 아프간에서 활동할 수 없게 됐다.

"……하. 그럼 한마디만 전해 주세요. 당신은 나를 나쁜 남자로 만들었다고. 다음에 만나면 각오하라고."

—후후. 얼마든지 전해 드리죠. 오늘도 좋은 하루가 되길 바랍니다, 최.

종혁은 통화가 끊긴 핸드폰을 보며 머리를 벅벅 긁었다.

CIA 요원과 관계를 맺었다. 아마 린치 입장에선 너무도 바라던 상황이었을 거다.

"……에라이."

답이 나오지 않는 찝찝한 상황에 몸을 일으킨 종혁은 씻기 위해 화장실로 향했다.


"다시 확인해 봐! 테러 조직을 소탕했는데 지도자의 신원이 불분명하다는 게 말이 돼?!"

전화기를 붙든 채 부하 직원을 향해 소리치는 국정원

중동 파트 차장의 모습을 바라보던 종혁은 혀를 차며 몸을 돌렸다.

새벽의 등불의 마지막 아지트에서 발견된 폭사되어 살점만 남은 시체.

종혁을 비롯한 이들은 그것이 지도자의 시체가 아닐까 추정하고 있었다.

그러나 놀랍게도 국과수를 통해 DNA를 확인한 결과, 그 시체의 정체는 무함드였다.

설마 그가 지도자였던 것일까 싶어 새벽의 등불 조직원들에게 확인해 보았지만, 그들은 말도 안 된다면 고개를 저었다.

이미 모든 것을 포기한 이들이 거짓을 털어놨을 리는 없을 터.

'죽은 이들 중에서도, 체포된 이들 중에서도 지도자가 없다라……'

"도망친 거네. 이 개새끼."

문제는 어떻게 도망친 거냐는 것이었다.

비밀 통로가 하나 발견되긴 했지만, 그쪽으로 누군가 빠져나간 흔적은 발견되지 않았다.

"아니면……."

종혁은 들고 있던 아프간 신문을 응시했다.

새벽의 등불에 납치 됐던 아프간인! 무사히 생존!

"너 새끼가 지도자든가."

당장이라도 모가지를 잡고 메다꽂아 심문을 하고 싶다.

하지만 이미 상황은 종혁을 손을 떠나 버렸다.

미국과 러시아에게 조금이라도 덜 두들겨 맞기 위해서라도 자신들도 피해를 봤다는 걸 적극적으로 어필할 필요가 있는 아프간 정부는, 언론을 이용하여 이놈을 불쌍한 피해자로 조명하며 세상에 알리고 있었다.

이런 상황에서 놈을 함부로 추궁했다가는 역풍을 받는다. 한국 정부가 기껏 아프간에 빚을 얹어 놓았는데, 그게 사라질 수가 있다.

피식!

"고맙네."

눈앞에 범인으로 추정되는 놈이 있는데도 잡지 못하는 상황이지만, 종혁은 오히려 고마웠다.

놈이 머리를 굴려 줘서 정말 고마웠다.

종혁은 핸드폰을 들어 다시 린치에게 전화를 걸었다.

"린치, 탈레반에 대해 다 파악했어요?"

―……아무래도 우린 서로 같은 생각을 하나 보군요.

"부탁할게요."

―걱정 마세요, 최. 우린 이런 일에 전문가니까!

전화가 끊긴 핸드폰을 수습한 종혁은 담배를 물며 입술을 비틀었다.

새벽의 등불이라는 테러 조직을 결성한 이유는 아직 파

악되지 않았지만, 그래도 한 조직의 수장이었던 놈이다.

"그런 네가 앞으로도 평범하게 회사 생활을 할 수 있을까?"

아니다. 이번 사건의 소요가 잠잠해질 때, 아프간 정부와 국민들이 자신에 대한 관심을 거둘 때 놈은 다시 테러 조직을 결성하기 위해 움직일 거다.

"그러기 위해선 자금이 필요하지."

지도자가 머물렀던 방으로 추정되는 곳에선 한 병당 천 달러가 넘는 고급 위스키나 비싼 치즈 등 다른 새벽의 등불 조직원이 먹지 못했던 것들이 엄청나게 숨겨져 있었다. 심지어 이슬람에서 율법으로 금지하는 돼지고기로 만든 소시지까지 있었다.

놈은 다른 이들과는 달리 어떤 종교적인 목적이 있는 것이 아니라, 그저 자신의 사리사욕을 채우기 위해 테러 조직을 결성한 것이 분명했다.

애초부터 태생이 불신자인 놈.

그러니 훗날 조직을 결성할 때 분명 남의 돈을 끌어다 쓸 거다. 아니면 그걸 빌미로 다른 탈레반 조직을 집어삼키려 들거나.

"병신 새끼. 그냥 감옥에서 한 50년 썩으면 될 것 가지고, 50년 일찍 가게 생겼네."

CIA가 놈과 연결될 탈레반을 족칠 텐데 과연 탈레반이 가만있을까. 놈은 산채로 찢겨 죽을 거다.

"나도 너 같은 새끼가 감옥에서 편하게 지내다 죽는 거

원하지 않거든? 미리 인사한다. 잘 가라, 씹새야. 내가 부조는 해 줄게."

이로써 새벽의 등불에 대해 완전히 신경을 끄기로 한 종혁은 담배꽁초를 창밖으로 던지며 걸음을 옮겼다.

한국으로 돌아갈 시간이었다.

\* \* \*

"아, 대체 언제 도착하는 거야?"

"씨발. 분명 도착하고도 남았을 시간인데……."

인천공항의 입국 게이트 앞에 진을 친 기자들이 카메라를 만지작거리며 입국 게이트를 응시한다.

피랍된 23명의 한국인 가운데 새벽의 등불에 의해 살해된 두 명을 제외한 인질 전원이 구출됐다.

그것도 이후 외교적 문제나 위협을 남길 수 있는 협상이라는 이름의 굴복이 아닌, 뛰어난 전술 능력으로 테러 조직을 제압하면서 말이다.

평화와 화합을 중시하는 박노형 대통령답지 않은 결단.

듣고 싶은 이야기가 참 많은 기자들은, 그리고 지상파 방송 3사들은 안절부절못하며 입국 게이트를 응시했다.

"지, 지금 나옵니다! 모두 준비해 주세요!"

"라이브 돌려!"

"연결됐습니다! 송출 시작!"

"스탠바이!"

실시간 중계용 카메라로 입국 게이트를 비추는 언론사들.

입국 게이트 앞에 지대한 침묵이 내려앉는 순간이었다.

ㅡ사랑해! 이 느낌 이대로!

"……응?"

"아씨, 누구야?"

카메라에 희미하게 잡혀 버린 잡음.

방송 사고에 얼굴이 구겨지는 순간, 입국 게이트의 문이 열리며 왜인지 얼굴을 구긴 외교부 장관을 필두로 한 이번 구출 작전의 주역들과 구출된 인질들이 나온다.

"나왔다!"

"장관님ㅡ!"

순간 도떼기시장이 된 입국 게이트 앞.

살짝 놀랐던 외교부 장관이 환하게 웃으며 오른팔을 번쩍 든다.

"국민 여러분! 저희가 구했습니다!"

"와아아아아!"

한편 그런 그들에게서 슬그머니 빠져나온 종혁은 갑자기 울려 버린 핸드폰을 원망스럽다는 듯 노려봤다.

"어우씨, 식겁했네."

"나도. 아니, 국장님은 그 순간 왜 전화를 하셨대?"

"그러게요. 좀 참으시지."

하마터면 방송 사고가 터질 뻔했다.

방송 사고는 이미 터졌다는 걸, 윤아네 그룹의 데뷔곡이 전국에 송출됐다는 걸 종혁은 모르고 있었다.

'하여튼 이 양반은 참을성을 좀 기를 필요가 있어.'

이런 모습도 함경필 국장의 매력이긴 하지만 말이다.

고개를 저은 종혁은 죄인처럼 고개를 숙이고 있는 교수와 대학생들을 보며, 그들이 들고 있는 명품 로고가 박힌 비닐백을 보며 입술을 비틀었다.

"엿이나 먹어라, 씹새끼들아."

가지 말라는 곳을 기어코 간 것도 모자라 납치까지 당한 놈들이, 그래서 대한민국 정부로 하여금 수천억을 쓰게 만든 놈들이 귀국 때 '명품 로고가 박힌 비닐봉지'를 들고 나왔다.

그들의 구출을 바라면서도 책임감 없던 그들의 행동에 욕을 하던 국민들이 가만히 있을까. 아마 마녀사냥이 시작될 거다.

'니들이 아무리 청구액이 너무하다고, 이건 사기라고 외쳐도 먹히지 않을 거라는 거지.'

법적으로도, 여론으로도 그들에게는 승산이 없었다.

"최 팀장님!"

"오, 조 팀장님! 어라? 다른 분들은 또 왜?"

그동안 인천공항에서 인연을 맺은 모든 이들이 종혁과 최재수, 오택수에게로 모여든다.

"괜찮아요? 어디 다친 곳은 없어요?"

"어디 좀 봐요. 아 씨, 마른 것 좀 봐. 밥 좀 잘 챙겨 먹으라고 했잖아요!"

종혁과 오택수, 최재수는 느닷없이 잔소리부터 쏟아 내는 그들의 모습에 눈을 껌뻑였다.

'대, 대체 왜?'

종혁은 첫 번째 사망자가 발생하자마자 징계를 받을 것을 각오하고 아프간으로 날아간 자신들의 행동에 인천공항 직원들이 다시 감동을 했다는 걸 모르고 있었다.

그때였다.

"어이, 최 팀장! 여기야, 여기!"

"어? 박 부장님? 최 부장님도 오셨어요?"

"잠시만요. 잠시만."

사람들을 헤치며 다가온 오랜 인연인 박영일 사회부 부장과 다른 언론사의 부장 기자들이 종혁의 옆구리를 쿡 찔렀다.

"최 팀장, 난 우리 인연이 참 깊다고 생각하거든?"

그제야 기자회견장으로 이동하는 외교부 장관들을 따라나서지 않은 이들의 행동을 이해하게 된 종혁은 입술을 비틀었다.

"편집본?"

"무, 무편집본도 있냐?"

"완전 무편집은 좀 어렵고, 살짝 각색한 건 어떠세요?"

"……살치살 콜?"

"여기 있는 인원들 다 사 주신다면요."

"뭣!?"

    종혁의 말에 놀랐다가 갑자기 눈빛이 돌변하는 수십 명의 직원 모습에 박영일은 마른침을 삼켰다.

    "아, 아니 이렇게 많은 사람들까지는……."

    "아님 말고요. 내가 어디 말할 곳 없는지 아나."

    "에이씨! 그래, 콜! 나눠 내면 어떻게든 되겠지!"

    "우와아아아!"

    직원들은 만세를 외쳤고, 종혁은 얼른 가자며 기자들의 등을 떠밀었다.

    그렇게 인천공항을 나서는 종혁의 입가에 후련한 미소가 매달렸다.

# 2장. 단순하지 않은

단순하지 않은

　"다녀왔습…….

　술김에 우렁차게 외치며 집에 들어선 종혁은 거실 소파에 앉아 있는 어머니 고정숙의 얼굴을 보곤 냅다 무릎을 꿇었다.

　"잘못했습니다."

　"벗어."

　"옙."

　종혁은 재빨리 상의를 벗었고, 그런 종혁의 상체를 훑어본 고정숙의 눈이 싸늘하게 가라앉았다.

　"못 보던 흉터가 있네?"

　"아, 이게 아는 사람을 만나서 대련을 하다 보니…….
어, 엄마도 기억하지? 나 국정원 훈련 교관이었던 거?"

　고정숙의 눈이 가늘어진다.

"뭘 잘못했는데?"

"매일 연락을 드린 것을 제외한 모든 것을 다 잘못했습니다."

"······쯧. 입어."

"흐흐. 사랑해요."

아직도 멍이 시퍼런 등짝을 들키지 않았기에 종혁은 인생에서 최고로 빨리 옷을 입었고, 고정숙은 그런 아들을 응시하다 몸을 일으켰다.

"죽지만 마."

제 아비를 쏙 빼닮아 불의에 처한 사람을 보면 물불 가리지 못하는 아들.

사람을 구하는 일을 하는데 죽지 않을 거란 보장이 어디 있을까. 종혁이 경찰이 된 순간 그 정도는 이미 각오한 그녀다.

하지만 각오했다고 한들 자식의 죽음을 아무렇지도 않게 받아들일 수 있는 부모는 없었다.

"······예. 앞으로 조심할게요."

"고생했어. 쉬어."

"아, 나 휴가 받았으니까 놀러 가요."

"이틀 뒤."

"옙!"

손을 저은 그녀는 안방으로 들어갔고, 종혁은 한숨을 푹 내쉬었다.

"또 걱정시켰네."

'빌어먹을.'

이번 생, 어머니를 위해 살겠다 다짐했는데 왜 이렇게 지켜지지 않는지 모르겠다.

"오빠."

"아, 깼어?"

종혁은 자신의 품을 파고드는 순희를 끌어안았고, 그런 종혁에게 순철이 다가선다.

"이리 주시라요."

"아니야. 괜찮아. 그리고 미안하다."

얼마 전 내로라하는 해킹 대회에서 우승을 했는데도 연속된 사건들 때문에 제대로 축하해 주지도 못했다.

"아닙네다. 전화해 주셨잖습네까."

"그래도…….."

"선물은 이미 충분히 받고 있으니 부담 갖지 마시라요."

"……그래. 고맙다."

"그리고 이것 좀 봐 주시겠습네까?"

"음?"

종혁은 순철이 내미는 한 장의 합격증을 보곤 술이 확 깨는 걸 느꼈다.

"너 이거…….."

순경 특채 합격증. 며칠 후 중앙경찰학교에 입학해야 하는 합격증이었다.

종혁의 머릿속이 복잡해진다.

"일단 희야부터 눕히고 이야기하자."

"부엌에 가 있겠습네다."

고개를 끄덕인 종혁은 순희를 제방의 침대에 눕히곤 부엌으로 향했고, 순철은 맥주와 안주를 꺼내 놓은 채 기다리고 있었다.

종혁은 캔맥주를 따 단숨에 들이켰다.

"푸후. 설마 은혜를 갚겠다 뭐 그런 이유냐? 그런 거라면 지금이라도 물러."

솔직히 고맙다. 대견하다.

하지만 그런 이유로 경찰이 된다면 반대였다.

"그딴 물렁한 이유로 될 만큼 경찰은 호락호락한 직업이 아니야."

사명감. 제 몸뚱이 부서져도 세상 모든 위험으로부터 피해자를 구해야 한다는 사명감과 각오가 없으면 경찰이 될 수 없다. 돼서도 안 된다.

"철아……."

"처음엔 그런 이유였습네다."

종혁의 말을 자른 순철이 맥주를 들이켠다.

처음엔 종혁의 말처럼 은혜를 갚고 싶어서였다.

기껏 남한에 내려왔는데, 누나 순영이 위험을 무릅쓰고 남한에 보내 줬는데 허송세월을 보냈다.

대체 뭘 하고 있나, 국정원에게 안 좋게 찍힐 걸 알면서도 자신과 동생 순희를 보호해 준 종혁을 볼 면목이 없었다.

그러던 와중 세진은행 사건이 터졌고, 정보를 얻지 못

해 힘들어하는 종혁의 모습에 자신의 특기를 살리기로 결심했다.

그래서 팀을 만들어 해킹 대회를 준비했던 거다. 경찰이 되어 종혁에게 보탬이 되기 위해.

하지만 칼에 찔리면서도 대수롭지 않다는 듯 웃으며 피해자를 구하고 사건을 해결하는 종혁의 모습을 보자 점점 생각이 달라져 갔다.

대체 저 사람은 왜 생판 모를 남을 위해 저렇게 애를 쓰는 걸까. 그렇게 생각하자 보이기 시작했다.

북한의 인민들처럼 없이 사는 사람들이.

범죄를 당했음에도, 그래서 죽을 것 같음에도 피의자가 무서워 신고를 하지 못하는 사람들이.

제발 누가 좀 구해 달라고 소리 없이 외치는 사람들이.

종혁이 보는 세상을 보게 되자 순철의 마음에 변화가 생겼다.

"형은 이런 곳에서 살았구나. 그래서 우리를 구했구나……."

거기다 이번의 연속된 사건들에 순철은 자신의 결정이 잘못되지 않았음을 확신할 수 있었다.

종혁은 그런 순철의 말에 씁쓸히 웃었다.

"그래. 너도 결국 봐 버렸구나. 그 세상을……."

종혁이 사는 세상은 마약이다.

도저히 구하지 않고는 버틸 수가 없는 마약.

애써 구해 냈을 때 지어 주는 그 미소는 진짜 마약보다 더 치명적이고, 끝내 구하지 못하면 오장육부가 모두 찢어질 듯 고통스럽다. 그럼에도 끊을 수가 없다.

눈만 돌리면 또 그런 사람들이 있기에.

손을 뻗어 버릴 수밖에 없기에.

"후. 그래, 네 각오가 그렇다면 어쩔 수 없지. 하지만 생각보다 더 괴로울 거다."

"형!"

종혁은 밝게 웃는 순철의 머리를 헤집었다.

"중경에서 절반만 해. 그럼 내가 어떻게든 픽업할 테니까."

"네? 괘, 괜찮겠습네까?"

종혁의 팀이 될 수 있다면 더할 나위 없이 좋을 테지만, 자신의 특기는 종혁과 연관이 없다.

된다고 해도 아마 사이버 범죄 수사대 혹은 디지털 포렌식과 등 컴퓨터 전문 부서로 가게 될 거다.

"걱정 마. 청장님 멱살을 잡아서라도 네 자리는 마련해 놓을 테니까."

"아, 아니 그래도 되는 겁네까?"

"어. 나 그 양반 썩 좋아하지 않거든. 자, 그럼 짠 하자. 아니 잠깐. 너 이거 엄마한테도 말했어?"

"혀, 형한테 가장 먼저 보여 드리고 싶어서……."

"에라이. 엄마-!"

"왜!"

"나와 봐요! 철이가 할 말 있대!"

"아, 아니……!"

"또 뭐!"

종혁은 시답지 않은 소리면 가만 안 두겠다는 듯 안방 문을 박차고 나오는 어머니 고정숙과 그런 그녀를 보며 안절부절못하는 순철을 보며 실실 웃었다.

'철이가 내 팀이 되어 주면 좋겠다고 생각하긴 했지만…….'

순철의 미래는 순철 본인이 직접 정해야 하기에 그동안 언급조차 하지 않았다.

그런데 순철이 큰 결단을 내려 줬으니 참 고마웠고, 슬슬 다음 단계로 넘어가도 될 것 같다.

'모든 경찰이 꿈꾸는 이상향의 수사팀.'

FBI의 시스템을 차용하다 못해 CIA와 SVR 등 종혁이 겪은 모든 수사기관 및 정보기관의 장점만 추린 이상향의 수사팀.

축구의 프리롤 포지션처럼 독립이 아니되 독립적인 수사팀.

놈들을 쳐 죽이기 위해선 이것부터가 선결 과제였다.

'그러려면 제 대가리 깨져도 몸뚱이부터 들이밀 미친놈들이 몇 명 더 필요한데…….'

일단 한 명은 있다.

강현석. 회귀 전 리틀 최종혁이라 불린 놈이자, 지금은 정말 가족처럼 생각하는 놈.

'흠. 박종명 청장과 할 이야기가 많겠네.'

마침 거래를 할 소스도 있는 상황.

종혁은 순철의 고백에 서운해하는 어머니와 그런 어머

니의 모습에 당황하며 사과하는 순철의 모습에 다시 장난기 가득한 웃음을 흘리며 맥주를 홀짝였다.

\* \* \*

따앙!

경쾌한 소리와 함께 작고 새하얀 골프공이 실내골프장의 어둠을 가로질러 그물에 부딪친다.

짝짝짝!

"굿샷."

삼십대 중반의 사내가 박수를 보내오지만, 정작 훌륭한 드라이브샷을 날린 사십대 중반 중년인의 표정은 썩 좋지 못하다.

그런 그의 눈치를 본 삼십대 사내는 슬그머니 손을 내리며 낯빛을 가다듬었다.

"아쉽게 됐습니다."

"이번에도 최종혁이라지?"

"예. 협상단에 포함되어 있던 사원이 보고를 올리길 처음부터 끝까지 최종혁이었다고 합니다."

미국과 러시아를 끌어들일 거라곤 그들 회사도 예상하지 못했다.

현재 회사에서 진행하는 여러 프로젝트의 디코이가 되어 줬어야 할 이번 피랍 프로젝트. 무려 협상금으로 300억 상당의 수익까지 올릴 수 있었던 중요 프로젝트였다.

그게 종혁 때문에 어그러진 거다.

"아프간 지사는?"

"당분간은 운영하지 못할 것 같습니다."

본래 파견 사원만 존재했지만 탈레반 정권이 물러나면서 정세가 안정이 되고 나라가 개발되려는 움직임이 보이자 정식으로 승격이 된 아프간 지사.

그래 봤자 사원이라곤 고작 둘뿐이었지만 한 명은 이번 연합군의 구출 작전에서 폭사를 당했고, 남은 한 명인 지사장은 언론의 주목을 받고 있다.

더 이상 지사를 유지하는 건 무리였다.

"이번 일로 발생할 예상 수익은?"

"현재로선 추정이 불가능합니다."

이제 본격적으로 아프간을 개발할 미국과 러시아.

아프간에 매장되어 있는 지하 자원조차 다 파악이 안된 상황이니 그 두 나라가 앞으로 얼마를 벌어들일지 예상조차 되지 않는다.

"쯧!"

'그게 내 몫이었어야 했는데!'

협상금으로 벌어들인 돈으로 탈레반의 거대 계파로 성장, 훗날 탈레반이 다시 아프간의 정권을 잡으면 지하 자원을 개발한다.

그럼 본사는 마르지 않는 화수분이 생기는 것이고, 이게 이번 피랍 프로젝트의 진정한 목적이었다.

따앙!

"굿샷."

"우리 제3기획실이 망신을 당했군. 제2기획실을 놀릴 게 아니었어."

제2기획실장이, 아니 다른 기획실장들이 이죽거릴 걸 생각하니 속에서 천불이 솟는다.

"처리할까요?"

"……놔둬."

종혁이건, 아프간 지사장이건 지금 당장이라도 찢어 죽이고 싶지만 아직은 건드릴 때가 아니었다.

하지만…….

따앙!

골프공이 좌측으로 휘어지자 제3기획실의 실장은 결국 폭발하고 말았다.

"개 같은!"

퍼억! 퍽퍽!

바닥에 부딪쳐 망가지는 골프채.

"후우. 후우-!"

화풀이를 하고 나니 좀 진정이 된 건지 제3기획실장이 흐트러진 머리를 쓸어 올린다.

망가진 골프채를 집어 던진 그는 맥주를 들이켜며 분노를 가라앉혔다.

"이번 대선, 제1기획실에서 미는 후보가 누구랬지?"

"친박노형계의 오동형과 영원한 대선 후보 김영창으로 알고 있습니다."

"박무형은? 강력한 후보지 않아?"

박노형의 실패한 정책 중 하나인 부동산을 물고 늘어지고 있고, 더 이상 진보가 정권을 잡는 건 안 된다고 판단한 보수 쪽이 총력을 다하여 밀고 있기에 꽤 지지를 얻고 있는 걸로 안다.

"이번 일로 인해 그쪽에 더 무게를 실었다고 합니다. 그리고 박무형은 몸에 묻은 먼지가 꽤 많고요."

"이번 정권이 한 번 더 해 먹을 거라고 판단한 건가……."

확실히 나쁜 판단은 아니다. 그만큼 박노형 대통령은 꽤 잘해 주었다.

"현몽준이 대선에 나섰다면 몰빵을 했을 텐데……."

아무래도 오동형은 존재감이 약하다.

김영창은 두 번이나 고배를 마신 인물.

아무래도 제1기획실이 삽질을 하고 있다는 생각이 든다.

"뭐, 아직 시간이 있지 않습니까. 더욱이 저희 기획실이 신경 쓸 일도 아니고요."

"그렇긴 하지."

맞다. 정부와 끈을 만드는 건 자신들 제3기획실의 일이 아니었다.

신경을 끄기로 한 제3기획실장은 우드 클럽을 꺼내며 입을 열었다.

"다른 프로젝트들 진행 사항 재점검하고, 조선족들 충동질하는 건 어떻게 되어 가고 있어?"

"아, 그게……."

"똑바로 해. 걔들이 날뛰어 줘야 사회가 더 혼란스러워질 거 아니야."

그럴수록 자신들이 노출될 확률이 줄어든다.

"부산 지부 상황 몰라? 그거 성공하면 우리 제3기획실 입장이 어떻게 되겠어? 제2기획실장이 우릴 가만 놔둘 것 같아?"

휘익! 따아아앙!

방금 전과는 확연히 다른 소리가 실내골프장을 울렸다.

\* \* \*

충청북도 충주의 중앙경찰학교 정문 앞.

오늘 입교하는 예비 순경들을 배웅하기 위해 수많은 인파들이 몰려 있다.

"우리 딸 파이팅!"

"6년 고시원 생활도 버텼잖아! 무조건 버티는 거야!"

"흑!"

"죽으러 가는 것도 아닌데 왜 울어요."

앞으로 몇 달간 떨어져 있어야 하기에 나눌 말이 참 많은 그들 사이에 종혁과 순철도 있다.

"와, 씨 나 인정 못해. 절대 인정 못해. 아니, 이게 말이 돼요?!"

"또 뭐가?"

순철이 경찰이 된다는 소리에 함께 배웅을 나온 오택수

와 최재수.

"얘가 중교 졸업하면 나랑 같은 계급이라는 거잖아요! 이게 어떻게 말이 되냐고요! 내가 어떻게 구르며 단 계급인데!"

경찰 생활을 경장으로 시작하는 사이버 특채.

순철은 중교 졸업과 동시에 경장이 된다.

"에라이!"

"악! 왜 때려요! 아, 그래! 당신은 경감이라 이거지?!"

"경감님이다, 새꺄!"

"에휴, 저 화상들. 어떻게 내 밑에 있을 때랑 변함이 없냐."

마찬가지로 순철을 배웅하러 온 김종두는 둘의 한심한 모습에 고개를 젓다가 순철의 손을 잡았다.

그런 그의 눈이 아련해진다.

태국에서 그 작고 꾀죄죄하던 꼬맹이가 어느덧 이렇게 자라서 경찰이 된단다. 감개무량할 수밖에 없었다.

"저 위에 계신 너희 누님도 참 대견스러워할 거다, 철아."

"과장님……."

"그래서 하는 말인데 교육 마치고 갈 곳은 생각해 뒀니? 아직 생각한 곳이 없다면……."

"제 겁니다, 과장님."

"아, 왜! 왜 좋은 건 너만 쓰려는 건데!"

감동이 와장창 깨진 순철은 슬그머니 손을 뺐고, 종혁은 키득키득 웃으며 순철의 어깨를 두드렸다.

"교육 기간은 금방 지나갈 거다. 그동안 많이 배우고, 엄마가 오지 못했다고 너무 서운해하지 말고."

어머니 고정숙은 오늘 장사 때문에 오지 못했다. 불과 얼마 전에 2박 3일로 여행을 다녀오며 가게를 비웠기 때문이다.

"아, 아닙네다!"

고정숙과는 이번 여행에서 이야기를 많이 나눴고, 오늘 새벽에도 꼭 안아 주면서 다녀오라고 말해 주었다.

자유를 얻고자 내려온 남한.

정 붙일 곳 하나 없는 낯선 세상에서 고정숙은 어머니가 되어 주었다. 절대 서운하지 않았다.

"아주마이껜 언제나 감사하고 있습네다."

"그럼 다행이고. 그럼 들어가 봐. 늦겠다."

고개를 끄덕인 순철은 한쪽 무릎을 꿇으며 울지 않으려 애쓰는 순희와 시선을 마주쳤다.

"이 오라비 없어도 울지 말고, 밥 먹으면 꼭 이 닦고…… 읍! 퉤퉤! 뭐하는 짓이네!"

입속으로 들어온 순희의 손가락에 순철의 눈썹이 팔자를 그리자 순희는 코웃음을 쳤다.

"오빠나 나 없다고 울지 마시라요. 저녁마다 내 방에 몰래 들어오는 거 모를 줄 알았시오? 어떻게 가족의 품이 맨날 그립습네까?"

"이 애미나이래! 네가 잘 자는지 확인하러 가는 거 아니네!"

"빨랑 꺼지기나 하시라요. 괜히 다른 사람 기다리게 하지 말고."

"이 썩어 빠질 에미나이…… 그래, 네가 말하지 않아도 가련다! 흥! 그럼 다녀오겠습네다!"

거칠게 몸을 돌린 순철은 중앙경찰학교 안으로 씩씩한 걸음을 옮겼고, 그걸 빤히 바라보던 순희는 결국 닭똥 같은 눈물을 뚝 하고 흘리며 종혁의 품을 파고들었다.

태어나면서부터 지금까지.

함께 목숨을 걸고 압록강을 건너고, 그 험하고 힘들었던 태국에서조차 떨어지지 않았던 든든한 오라비 순철을 몇 달 동안 못 볼 생각을 하니 눈물을 주체할 수가 없다.

"이잉."

"괜찮아. 괜찮아."

영영 못 보는 게 아니다.

종혁은 그렇게 순희를 위로하며 몸을 돌렸다.

\* \* \*

"와, 이제 좀 이 사무실에 익숙해지려니까 떠나네요."

오늘도 그들 셋을 제외하면 아무도 없는 사무실.

"씨벌. 고작 한 달 파견이었는데 뭐 그리 다사다난했는지……."

인천공항에 계속 붙어 있었다면 말도 안 한다. 고작 두 나라를 다녀왔을 뿐인데 신고식 기간이 모두 끝나 버렸다.

"야, 최 팀장."

"굿 안 합니다."

"……에라이. 에혀. 그래. 가자, 가."

지금쯤 목 빼고 기다리고 있을 함경필 국장을 생각하면 얼른 가야 했다.

"짐은 다 챙겼죠?"

다시 짐을 점검한 오택수와 최재수는 고개를 끄덕였다.

"그럼 갑시다."

어제 인천공항 직원들과 작별 인사를 나눴으니 이대로 떠나기만 하면 됐다.

그렇게 사무실 문을 여는 순간이었다.

"어?"

"최 팀장님!"

조은별 팀장과 기동타격대 대장, 기동타격대의 박은정 대원 등 지난 한 달 동안 친해진 직원들이 케이크와 종이 백을 내민다.

"그동안 수고하셨습니다, 팀장님!"

"잊지 못할 거예요!"

"재수 씨! 우린 봐줬지만, 본청 가서 여자한테 껄떡 거리다간 정말 혼쭐날 거야!"

"오택수 경감님! 술 좀 줄이세요!"

"아, 아니……."

울컥 치미는 감동에 얼굴이 일그러지는 셋.

"어머, 놀라셨어요?"

"……조 팀장님. 예. 솔직히 엄청 감동 중입니다."

서로 부대낀 지 얼마나 됐다고 이런 이벤트를 준비해 준 걸까.

"후후. 그럼 성공이네요."

그들은 그들끼리 하이파이브를 하며 이벤트 성공을 자축했다.

"뭐하세요. 얼른 부세요."

"아, 예!"

종혁과 오택수, 최재수는 냉큼 케이크의 촛불을 불었고, 조은별들은 그런 그들에게 종이백을 내밀었다.

그들끼리 한 푼, 두 푼 모아 장만한 선물.

"수갑…… 이네요?"

"경찰에겐 수갑 선물이 최고라고 들었습니다. 그곳에서도 대한민국 국민들의 안전을 부탁드리겠습니다. 충성."

"박은정 대원……."

"자자! 이 이상 가시는 분 발목 잡지 말고, 얼른 케이크나 먹고 빠이빠이 합시다! 어차피 영영 못 볼 것도 아니잖아요!"

맞는 말이다.

그들은 피식 웃으며 케이크를 자르기 위해 사무실 안으로 들어갔다.

그때였다.

치익!

−상황 발생! 상황 발생! 주차장 방향으로 소매치기 도주 중!

순간 굳었다가 서로를 보며 한숨을 푹 내쉬는 종혁들과 조은별들.

"에라이, 이놈의 인생이 그럼 그렇지."

느긋이 뭘 먹을 시간이 없다.

"뭐해요! 달려요!"

"예!"

"우, 우리도 달려!"

종혁과 오택수, 최재수는 사무실을 박차고 뛰어나갔고, 그렇게 인천공항에서의 마지막 날이 저물어 갔다.

이제 본격적인 외사국 생활 시작이었다.

\* \* \*

쾅! 쾅!

종혁의 주먹이 때릴 때마다 기역 자로 꺾이는 샌드백.

누군가를 찢어발기려는 듯 매서운 눈을 한 종혁이 마지막 펀치를 날린다.

꽈아앙!

"후아!"

"어디 전쟁이라도 나가요? 아주 사람 죽이겠네."

"아."

종혁은 다가온 트레이너를 향해 피식 웃어 보였다.

오늘부터 외사국에 정식으로 출근을 한다.

회귀 전 후 모두 합하여 미지의 장소인 외사국. 어떤 사건이 벌어질지 모르기에 몸과 정신을 재무장할 필요가 있었다.

'거기다 곧 러시아도 넘어가야 하고.'

"그럼 수고해라. 난 간다."

"옙! 오늘도 빵이 치십쇼!"

빡!

최재수처럼 꼭 한마디를 더 하는 얄미운 후배의 뒤통수를 후려친 종혁은 집에 돌아와 씻고 나서 어머니 고정숙에게 들렸다.

그리고 그녀를 꼭 끌어안았다.

"다녀올게요."

"……아들, 평소대로 해. 사람이 안 하던 짓 하면 죽어."

"에이 씨."

"후후. 그래. 잘 다녀오고."

"옙!"

주차장 관리인인 SVR 요원에게도 인사를 한 종혁은 새 근무지 정식 출근의 기분도 낼 겸 얼마 전 구입한 부가티 베이론을 끌고 도로에 올랐다.

그와 동시에 마치 모세의 기적처럼 양옆으로 비켜나는 차들.

종혁은 출근길임에도 뻥 뚫리는 도로를 거침없이 누볐다.

－대한민국 정부가 아프간에서 피랍되었다가 구출된 대명 대학교 대학생들에게…….

뉴스를 듣던 종혁의 입가에 미소가 그려진다.

죄다 방조죄로 구속되다 못해 정부가 그들을 구하기 위해 쓴 금액 전부를 청구한 달란트의 대학생들.

이로 인해 언론에서는 그래도 너무 과한 거 아니냐는 쪽과 가지 말라는 곳에 갔다가 피해를 끼쳤으니 당연한 거 아니냐는 쪽으로 나뉘어 싸우고 있는 중이었다.

"하지만 정부가 이길 수밖에 없지."

선례를 남겨선 안 되기 때문이다.

정부에서도 작정하고 덤벼드는 이번 소송.

이제 달란트 대학생들은 전과자가 되다 못해 개인당 백억 이상의 빚을 지게 되는 일만 남았다.

입술을 비틀던 종혁은 다음 뉴스에 눈을 빛냈다.

－어젯밤 박명후 후보가 러시아에서 전해진 보물의 소유자를 끈질기게 설득한 끝에…….

"이야, 이 양반 이걸 이제야 터트리네."

하긴 영국에서 돌아온 이후 며칠 안 되어 피랍 사건이 터졌으니 타이밍이 어긋나긴 했다.

－박명후 후보는 이 보물을 통해 그동안 협상을 했으면서도 지지부진 미루기만 했던 프랑스와의 유물 반환을 재추진할 것이라 밝히면서…….

"앞으로 지지율이 쭉쭉 오르겠네."

프랑스에서 가져올 조선시대의 유물.

가장 유명한 건 바로 1782년 정조가 강화도에 설치하고 병인양요때 프랑스가 약탈해 간 규장각의 부속 도서관 외규장각에 보관되어 있던 총 297권의 의궤, 왕실 주요 행사를 기록한 의궤다.

회귀 전 프랑스는 영구 대여라는 뻔뻔한 소리를 해 댔지만, 이젠 그럴 수 없을 거다. 박명후의 손에 프랑스 왕실의 보물들이 들려 있으니 말이다.

자유와 혁명으로 그 왕실을 무너트린 게 현재의 프랑스라지만, 프랑스의 보물과 타국의 보물을 저울질하는 멍청한 짓을 하진 않을 거다.

"아니, 유럽의 망나니인 프랑스니 어떻게 나올지 모르겠네."

미간을 좁히던 종혁은 이내 어깨를 으쓱였다.

"뭐 그 양반이 알아서 잘하겠지."

자기 것은 기가 막히게 챙기는 박명후이니만큼 기를 쓰고 보물들을 반환시킬 것이다. 그게 지지율과 연관될 테니 말이다.

신경을 끈 종혁은 때마침 도착한 본청 안으로 진입했다.

"자, 잠깐! 함부로 들어오시…… 하, 차를 또 바꾸셨네. 부럽습니다, 최 팀장님."

"큭큭. 그래, 박 순경도 수고."

그르릉!

첫 주행이라서 그런지 더 달리고 싶어 들썩이는 차를 진정시키며 주차를 한 종혁에게 사람들이 모여든다.

"워 씨. 이거 국내에 단 두 대만 있다고 한 차 아냐?"

"캬. 부럽다. 부러워."

"이런 건 얼마나 해, 최 팀장?"

"하하. 좋은 아침입니다, 선배님들."

"오늘부터 외사국 출근이라며? 잘해 봐."

"예! 선배님들도 오늘 하루 빵이 치십쇼!"

"저런 썩을!"

분노한 선배들을 피해 로비로 진입하던 종혁은 누군가를 발견하곤 깜짝 놀랐다.

"뭐야, 네가 여기 왜 있어? 너 경기청 홍보부로 간 거 아니었어?"

"엇?! 팀장님!"

옛 부하이자 지금은 사라지고 없는 경찰 이미지 마케팅팀의 팀원.

박종명의 경찰청장 취임 이후 홍보담당관을 비롯한 홍보부도 물갈이가 됐는데, 눈앞의 팀원은 경기청으로 특별인사이동이 되었다.

"아, 그게 도중에 백턴 했습니다. 저 말고도 그때 멤버들 모두."

"엥? 그게 가능해? 아니, 왜?"

"버거워하던데요?"

"아, 확실히 그럴 수 있겠네."

철밥통 공무원들의 안일하고 무성의한 홍보 방식에서 벗어났던 게 종혁이 조직했던 경찰 이미지 마케팅팀이

다. 그리고 그 기조는 이들이 홍보부에 흡수되면서 홍보부도 180도 바꿔 버렸다.

즉, 새로 온 홍보 인력들이 기존 업무에 적응할 수 없으니, 해체시킨 팀원들을 부랴부랴 복귀시킨 게 분명했다.

'그렇다고 해도…….'

새로이 홍보담당관으로 임명된 고위 간부의 생각이 대단하다.

'박종명 청장…… 마냥 제 식구를 챙기는 게 아니라는 건가.'

자리에 앉혀도 실력이 있는 사람만.

종혁은 박종명 청장에 대해 다시 생각할 수밖에 없었다.

"그런데 넌 이 시간에 여기 왜 있어?"

아직 오전 8시다. 눈앞의 팀원 같은 사무직은 이제야 집에서 나설 시간이었다.

"그게…… 아, 도착한 것 같네요."

"음?"

고개를 돌린 종혁은 본청으로 진입하는 한 대의 밴을 보며 고개를 모로 기울였다.

"어째 번호판이 낯익은 것 같은데…….."

같은 게 아니라 맞았다. 본청 건물 앞에 멈춰 서며 우르르 내리는 소녀들 중에 아는 얼굴이 있었다.

"우와! 여기가 경찰 대빵들만 있는 곳이에요?"

"건물 멋지다─!"

"어? 삼촌? 삼촌─!"

"아저씨!"

종혁은 이쪽을 향해 손을 흔드는 윤아와 리나의 모습에 고개를 돌려 팀원을 봤다.

"그 며칠 전 협상단 귀국 때 쟤들 노래가 전파를 탔잖습니까. 쟤들 요새 인기 최고예요."

"설마 경찰 홍보대사냐?"

"네."

"미친. 야, 쟤들 신인 그룹이야. 쟤들한테 뭔 사연이 있을 줄 알고 홍보대사로 임명을 해?"

"저도 모르겠습니다. 부장님께서 까라니 까는 거죠."

"지랄 났네."

그렇게 말했지만, 종혁은 대충 어떻게 된 사연인지 눈치를 챘다.

'나랑 윤아와의 관계를 눈치 깐 거네.'

"제법 깜찍한 짓을 해 주시는구만?"

종혁은 본청에서 가장 높은 곳, 경찰청장실을 보며 피식 웃었다.

너에 대해 관심이 아주 많다는 박종명의 의지가 절절히 느껴졌다.

"삼촌!"

빡!

종혁은 자신에게 와락 안기는 최윤아의 머리에 꿀밤을 먹였다.

"악! 왜, 왜!"

"홍보대사 됐다면 미리 말을 해 줘야 할 거 아냐."

"노, 놀라게 해 주려고 한 건데…… 아파. 히잉."

"시끄러워. 일 끝나면 연락이나 해. 밥이나 먹게."

"아, 그게……."

종혁은 윤아가 눈치를 보는 매니저를 향해 입을 열었다.

"가능하죠, 매니저님?"

"옙! 가능합니다!"

잔뜩 얼어 대답을 하는 매니저.

종혁은 어떻게 된 거냐는 듯 눈을 가늘게 뜨며 쳐다보는 윤아를 무시하며 김리나를 봤다.

"다시 한번 데뷔한 거 축하한다, 리나야."

그런 험한 일을 겪었음에도 원래 데뷔 멤버로 예정되어 있던 다른 소녀와의 경쟁에서 이겨 내고 결국 9인조 걸 그룹의 멤버가 된 그녀.

"가, 감사해요, 아저씨."

"그럼 이따가 보자. 난 출근해야 돼서……. 야, 얘가 내 조카거든? 함부로 대했다가는…… 알지?"

"공주님처럼 모시겠슴돠!"

"오냐."

손을 흔든 종혁은 돌아섰고, 김리나는 그런 종혁의 등을 멍하니 응시했다.

그 순간이었다.

턱!

김리나와 최윤아의 어깨에 얹어진 작고 앙증맞은 손들.

"응?"

"이게 어떻게 된 일인지 설명 좀 해 주실까? 응? 저 멋지고 잘생기고, 몸도 좋은 미남이 누군지부터!"

최윤아와 김리나는 눈에 호기심이 만빵인 악동들의 모습에 어색하게 웃었다.


한편 외사국 외사수사과 사무실 안으로 들어선 종혁이 장난스럽게 웃으며 손을 든다.

"충성. 경정 최종혁 지금 막 신고식을……."

빵! 빠바방!

"뭐, 뭡니까!"

갑자기 터지기 시작한 폭죽에 깜짝 놀란 종혁.

"어서 와, 최 팀장!"

"최 팀장, 왜 이렇게 늦었어! 출근하느라 힘들었지? 국장니임-! 최 팀장 출근했습니다!"

"뭐어?! 지금 간다-! 최 팀자앙-!"

'이건 또 뭔 시추에이션이야?'

종혁은 이쪽으로 달려오는 외사국 형사들의 모습에 눈을 껌뻑였다.


\* \* \*


결론만 말하자면, 외사국이 열렬한 환영 인사를 한 건 이번 달란트 구출 사건 때문이었다.

달란트 대학생들을 구하는 데 외사국 소속인 종혁이 혁혁한 공을 올리다 보니 대통령부터 시작해 높으신 분들의 칭찬과 격려가 쏟아졌고, 그것도 모자라 외사국 예산 증대와 외사국 전체에 특별 상여금이 내려졌다.

"내가 대통령님의 칭찬 전화까지 받다니, 크으으!"

"하하."

'이렇게 기뻐해 주니까 좋네.'

첫 출근부터 자신의 편의를 봐주기 위해 온갖 노력을 해 준 함경필 국장. 그 은혜를 조금이나마 갚았다는 것에 종혁은 기분이 좋아졌다.

하지만 뭔가 좀 미진하다. 외사국 전 대원들이 폭죽을 터트리기에는 말이다.

그런 종혁의 기색을 눈치챈 건지 함경필이 음흉하게 웃으며 몸을 일으킨다.

"흐흐. 따라와 봐."

"음?"

고개를 모로 기울였던 종혁은 이내 순순히 함경필의 뒤를 따랐고, 외사국 사무실을 빠져나온 함경필은 복도 끝에 있는 문 앞에 섰다.

"최 팀장, 혹시 여러 사람들끼리 시끄럽게 부대끼면서 일하는 거 좋아해? 아니면 독립적인 공간에서 일하는 걸 좋아해?"

"둘 다 좋아하긴 하지만 아무래도 독립적인 공간…… 아, 설마?"

"흐흐. 따라라라, 딴! 따라라란!"

함경필 국장은 전 국민이 아는 BGM을 흥얼거리며 문을 열었고, 종혁은 안의 풍경에 깜짝 놀랐다.

꽤 익숙한 인테리어로 꾸며진 약 20평 정도 되는 제법 넓은 공간.

"이, 이건……."

"최 팀장 이렇게 꾸미는 거 좋아한다며?"

그랬다. 경찰 이미지 마케팅팀의 인테리어를 그대로 빼다 박은 공간이었다.

"아아, 너무 감동하진……."

"국장니임-!"

저 멀리서 외사수사과의 백이도 과장이 손을 젓는 함경필의 말을 끊으며 달려온다.

"아니, 이러는 게 어디 있습니까! 제 부하 사무실은 과장인 제가 알려 줘야죠!"

"누가 하면 어때! 알려 주기만 하면 되지!"

"뭐요? 하! 내가 당신의 그 음흉한 속내 모를 줄 알고?! 당신이 먼저 알려 줘서 우리 최 팀장의 존경을 한 몸에 받겠다는 거잖아!"

"인마! 나 국장이야!"

"국장이라서 좋겠수다! 형수님한테도 그렇게 소리쳐 보지?!"

"여기서 내 와이프가 왜 나와!"

"아, 됐으니까 비키기나 해요!"

"억?!"

정말로 함경필을 옆으로 밀어 버린 백이도가 종혁에게 다가와 손목을 붙들고 사무실 안으로 들어갔다.

"최 팀장, 우리 최 팀장이 쓰는 커피머신이 이거 맞지?"

"예. 그, 그렇기는 합니다만……."

커피머신뿐만 아니다. 책상이나 의자까지 모두 종혁이 애용하는 것들이다. 아마 종혁 자신이 거쳐 온 수사팀을 돌며 브랜드를 알아 왔을 터.

이들의 세심하고도 과분한 배려에 살짝 감동을 드는 한편, 부담스럽기도 하다.

굴러온 돌이 굴러 오자마자 독립적인 사무실을 선물로 받았다. 박혀 있던 돌들이 어떻게 나올지 안 봐도 비디오였다.

"저 죄송하지만…… 과장님?"

"그래. 무슨 말인지 알아. 하지만 걱정 마. 흐흐흐. 다른 팀들도……."

"비켜!"

"억?!"

백이도를 집어 던진 함경필이 종혁의 손을 잡는다.

"최 팀장 팀을 시작으로 다른 팀들도 다 이런 사무실을 가지게 될 거니까 너무 걱정하지 마."

"아, 이래서 폭죽을…… 대체 얼마나 추가 편성이 됐기에……."

순간 음흉하게 웃은 함경필이 손가락 하나를 든다.

"진짜 큰 거 한 장."

"천억이요?!"

"……아니, 그것보다 좀 작은 거."

"백억이요?"

"그렇지. 허, 우리 최 팀장은 정말 통이 크구나. 응……
크으! 이리 와! 우리 복덩이 한번 안아 보자!"

함경필은 종혁을 껴안았고, 종혁은 이 예산 추가 편성
을 한 박종명 경찰청장을 떠올리며 혀를 내둘렀다.

'이 양반 진짜 다시 보게끔 만드네.'

"자, 그럼 본격적으로 사무실을 둘러볼까?"

함경필은 이것들을 구하기 위해 얼마나 공을 들였는지
를 어필했고, 마지막으로 최신형 TV까지 켜서 유선 채널
까지 달았음을 보여 주었다.

─실시간 미국 증시 소식입니다.

"오! 정말로 나오네! 최 팀장, 혹시 주식 관심 있어?"

종혁은 피식 웃었다.

"관심 많죠."

"오, 진짜? 잘됐네! 최 팀장도 알다시피 주식이란 게
말이야 잘만 투자하면 꽤 쏠쏠한……."

"이봐요, 국장님."

"아, 또 왜!"

"최 팀장 부자예요. 주식은 국장님보다 더 잘 알걸요?"

흠칫!

깜짝 놀란 함경필은 종혁을 봤고, 종혁은 볼을 긁적였다.

"그리고 들어갔다 하면 반토막부터 내고 시작하는 양반이 주식은 뭔 주식입니까?"

"……최 팀장, 주식 잘 알아? 혹시 추천할 만한 종목 있을까?"

얼마 전 아내 몰래 모아 둔 비상금을 모두 날려 버린 함경필은 꽤 간절했다.

"삼전전자랑 대현자동차가 좋죠."

마음 같아선 권&박 홀딩스를 소개시켜 주고 싶지만, 아직 그렇게까지 믿음을 가지진 못했다.

"에이, 그걸 누가 모르나. 하지만 우리 최 팀장 하나만 알고 둘은 모른다. 삼전 있지? 거기도 다 옛말이야. 지금 나오는 핸드폰 봐. 다 거기서 거기잖아."

'맞는 말이긴 하지만 아닌데.'

지금은 그렇지만 몇 년만 지나면 이야기가 달라진다.

지금 사서 10년만 묵혀 놔도 최소 10배는 남겨 먹을 수 있을 정도로 위상이 달라질 테니까.

대현자동차는 말할 것도 없는 대한민국 대표 대장주이자 안전주. 장기로 보면 무조건 번다.

"뭐, 전 말해 드렸습니다."

어깨를 으쓱인 종혁은 뉴스를 보며 눈을 가늘게 떴다.

'곧 터질 때가 됐는데…….'

미국을 저 밑바닥으로 처박아 버릴 폭탄.

신이 온다고 해도 막지 못할 폭탄.

이미 그 전조가 미국뿐만 아니라 세계 여기저기서 나타나고 있었다.

종혁의 표정이 심각해지는 순간이었다.

"저 여기가…… 아, 팀장님!"

"오, 우리 최 경장! 최 경장도 어서와! 얼른 들어와!"

"힉! 추, 충성!"

종혁은 함경필이 있는 것에 하얗게 질리는 최재수의 모습에 피식 웃으며 TV를 응시했다.

그의 눈이 차갑게 가라앉았다.

\* \* \*

"일단은 한 2주일 정도 시간을 줄 테니까 업무부터 파악하자. 그래야 파트를 나누지."

외사국은 국내 파트와 해외 파트로 나뉘어 있다.

국내에서 범죄를 저지르고 해외를 튀는 놈을 쫓는 해외 파트, 국내에서 범죄를 저지르는 외국인을 쫓는 국내 파트.

정식적으로 나눈 건 아니지만, 언제나 인력이 부족한 게 경찰이다 보니 범인을 보다 효율적으로 쫓기 위해서 자체적으로 나누게 됐다.

종혁은 백이도 과장의 말에 볼을 긁적였다.

"음. 둘 다 하면 안 됩니까?"

"어휴. 안 될 게 어디 있어. 우리 최 팀장이 그래 준다면 나야 땡큐지."

종혁이 양쪽 파트의 일을 조금만 분담해 줘도 다른 형사들의 숨통이 트인다.

"그런데 힘들지 않겠어? 팀원 숫자도 적잖아."

"열심히 해 보겠습니다."

"어휴. 우리 최 팀장 말까지 이렇게 예쁘게 하면 반칙 아냐?"

"아하하."

본청 근처의 중국 레스토랑. 함께 따라온 외사수사과 형사들의 표정이 썩어 갔다.

"뭐, 이 자식들아? 뭐?"

"……야, 최 팀장. 너 조심해라. 이 양반 처음엔 이렇게 살살 꼬드기다가 좀 친해졌다 싶으면 막말하는 게 특기거든?"

"과장님이 주말에 등산가자고 하지? 그건 네가 뭔 실수를 했다는 거야. 그땐 일단 사과부터 박아. 그래야 산다."

"암, 암. 백 과장이 좀생이 같은 면모가 있지."

"모함하지 마, 이 자식들아!"

"나 국장이라고, 이 자식아!"

"아, 형님은 좀 가라고요! 외사수사과 식구들끼리 식사 좀 하면서 우애를 다지겠다는데, 늙은이가 눈치 없이 끼어들고 말이야!"

"이 새끼가! 그래. 쳐라, 쳐! 말로 치지 말고 주먹으로 쳐, 새꺄!"

고개를 저은 종혁은 일행이 아닌 척 옆으로 물러났고, 그건 다른 형사들도 마찬가지였다.

"삼촌, 여기야! 여기⋯⋯."

종혁이 오늘 점심시간 전부를 전세 냈는지라 아무도 없는 2층에 뻘쭘하게 앉아 있다가 손을 들었던 윤아가 슬그머니 구겨진다.

종혁은 의아하게 쳐다보는 백이도와 함경필을 향해 입을 열었다.

"요새 한류가 대세잖습니까. 제가 지분을 좀 가지고 있는 SN엔터의 신인 걸그룹인데, 이번에 경찰 홍보대사로 위촉되어 혹여 해외에서 도움을 받을 수 있을까 해서 불러 봤습니다. 이를테면⋯⋯ 위장?"

범인을 쫓는데 경찰이라고 밝히고 다니면 되겠는가.

그럴 때 필요한 게 위장 신분이다. 엔터와 범죄자가 뭔 연관이 있겠냐마는 그래도 있는 게 좋다.

종혁이 하고자 하는 말을 알아들은 형사들의 눈빛이 돌변한다.

"참고로 쟤는 제 조카고요. 윤아야, 인사해. 삼촌 상사 되시는 분들이랑 직장 동료들. 이쪽은 삼촌 팀원인 오택수 경감과 최재수 경장."

"헉! 하나둘!"

"안녕하세요!"

벌떡 일어나 그룹명을 밝히며 인사를 하는 소녀들의 박력에 깜짝 놀랐던 형사들이 이내 곧 아빠미소를 짓는다.

"어이구, 예. 외사국 국장 함경필입니다."

"우리 최 팀장이 가장 존경하는 상사, 과장 백이도입니다. 뭣들 해! 매니저님 모시지 않고!"

"옙! 어이, 거기 매니저님. 우리 좀 볼까요?"

일개 직원인 걸그룹과 이야기를 나눠서 뭐하겠는가. 이야기를 나눈다면 관리자인 매니저와 이야기를 나눠야 했다.

"예? 예예……."

종혁은 살려 달라는 매니저의 눈빛을 외면하며 빈자리에 앉았고, 윤아와 리나는 대체 어떻게 된 일이냐는 듯, 그 무서운 매니저가 왜 저렇게 저자세냐는 듯 종혁을 응시했다.

"삼촌이 너희 회사 주식을 좀 사서 그러는 거야. 쉽게 설명하자면, SN의 대주주인 거지."

종혁이 의결권을 어떻게 행사하느냐에 따라 SN엔터로서는 상당히 피곤해질 수도 있을 만큼 상당한 지분을 보유하고 있었다.

"헉! 진짜?"

"그래. 그러니까 회사에서 함부로 굴리면 언제든 전화해. 아주 혼쭐을 내 줄 테니까."

"응……!"

"응이 아니라 네, 이 자식아."

"네! 히히! 언니들 들었지? 우리 삼촌이 이런 사람이야! 그러니 나한테 잘하란 말야!"

"끄흐응. 그, 그래. 아이고, 우리 윤아. 옷에 뭐가 묻었네."

"악! 아, 아파! 꼬집지 마, 리나 언니!"

"어휴. 얘가 이상한 말을 하네?"

종혁은 살려 달라는 윤아의 눈빛을 이번에도 외면하며 2층 입구에 서 있는 종업원을 향해 손을 들었다.

"여기 주문 받으세요."

"내, 내가 나중에 꼭 산다. 최 팀장, 나 믿지? 나 막 얻어먹고 입 닦는 사람 아니다?"

"하하. 예, 기대하겠습니다."

"아니, 기대까진 하지 말……."

쭈구리가 되는 백이도 과장을 일견한 종혁은 배를 통통 두드리는 윤아를 보며 흐뭇이 웃었다.

"배, 배 안 나왔어!"

"그래. 뭐 맛있게 먹었으면 됐지."

"아, 아니라니까요!"

"아무튼 잘 가고. 다음에 또 연락하자. 리나도."

"네……! 삼촌도 일 잘하고요!"

"몸조심하세요, 아저씨!"

"애, 애들아, 가자! 그럼 안녕히 계십시오!"

우르르 몰려 나가는 윤아들을 응시하던 종혁은 과장을 봤다.

"그럼 저희도 들어가시죠."

"어우. 이놈의 점심시간은 왜 이렇게 짧은지. 아, 최 팀장은 이만 퇴근해. 첫날부터 무리하는 거 아냐. 대신 시말서는 써 오고."

제아무리 종혁이 피랍 사건에서 혁혁한 공을 올렸다지

만, 그래도 절차와 체계를 무시하고 아프간으로 날아갔다. 그에 대한 시말서를 제출하라는 것이었다.

징계와 과한 배려가 섞인 조기 퇴근.

"꿍. 예. 알겠습니다. 충성. 내일 뵙겠습니다."

"그래. 내일 봐."

종혁은 손을 흔들며 떠나는 과장들을 응시하다 오택수와 최재수를 쳐다봤다.

"과장님 말대로 여기서 퇴근하고 내일 보죠. 시말서 써 오고요."

"옙!"

"어이."

그렇게 둘마저 떠나자 종혁도 차키를 빼 들며 주차장으로 향했다.

그 순간이었다.

지이잉! 지이잉!

"네. 최종혁입니……."

─보, 보스!

'터졌군.'

"지금 가겠습니다."

종혁은 재빨리 걸음을 옮겼다.

＊　＊　＊

여의도에 위치한 권&박 홀딩스에 도착한 종혁은 곧바

로 회의실로 향했다.

"보스!"

"최!"

소식을 듣자마자 달려온 것인지 다급한 얼굴을 한 나탈리아.

그 옆에 있던 린치가 달려와 멱살을 잡는다.

"너……! 너 알고 있었지!"

순간 차갑게 가라앉는 종혁의 눈.

"그걸 모르는 게 병신 아닌가? 내가 왜 바이 차이나에 너희 미국을 끼워 줬다고 생각하는 거지? 단순히 미국이 잘나서?"

움찔!

종혁은 힘이 빠지는 린치의 손을 뿌리쳤다.

"지금 너의 이 행동이 미국의 입장이라고 생각하면 되는 거지? 그렇게 생각하면 되는 겁니까?"

종혁은 회의실 정면, 커다란 모니터에 나타나 있는 CIA의 동아시아 지부장 핸리 스미스를 응시했다.

─미안합니다, 최. 제 부하의 실수를 대신 사과하겠습니다. 린치.

"예!"

─닥치고 앉아 있어.

"죄, 죄송합니다. 미안하다, 최. 내가 너무 놀라서……."

"어떻게든 면피해 보려는 건 이해하겠지만, 다음에도 이러면 우리 관계를 다시 생각해야 될 거야."

종혁의 옆에 딱 붙어 있었음에도 이번 일에 대한 정보를 얻지 못했다. 린치는 징계를 받지 않으려고 종혁의 멱살을 잡았던 것이다.

"두 번은 없어."

"……진심으로 사과드리겠습니다, 미스터 최."

고개를 끄덕인 종혁은 박태규를 봤다.

"어디서부터 터졌습니까?"

"프랑스입니다!"

미국에서 발발된 서브프라임 모기지 사태가 결국 프랑스의 BNP 파리바로 하여금 자산유동화증권(ABS)에 대한 지급 중지를 선언하게 만들었다.

그게 고작 20분 전.

한계를 모르고 치솟다 작년부터 제동이 걸린 미국 부동산 시장이 본격적으로 붕괴되고 있단 소리였다.

이 발표 이후 한국 증시, 아니 미국 부동산에 투자한 모든 나라의 증시가 비명을 지르고 있었다.

종혁은 핸리 스미스를 쳐다봤다.

"어느 정도로 예상하십니까?"

ㅡ……현재로선 닷컴 버블 붕괴엔 미치지 못하지 않나 예측되고 있습니다.

종혁은 냉소를 터트렸다.

"틀렸습니다. 미국 역사상 최악의 대공황이 닥칠 겁니다."

꽝!

－무, 무슨……!

"최!"

사람들은 기겁했지만 종혁의 눈은 차가웠다.

1987년 미국의 경제 대공황 블랙 먼데이, 그리고 2001년 닷컴 버블 붕괴.

모두 미국을 궁지로 몰아넣은 경제 대공황이다.

하지만 결코 이것과도 비교할 수 없다.

"아마 미국은 이번 일로 인해 파산을 할지도 모릅니다."

－최!

"당신들이 닷컴 버블을 운운하기에 더욱더. 당신들은 월가의 괴물들이 얼마나 탐욕스럽고 멍청한지를 아직까지도 모르고 있습니다."

－…….

이를 악문 핸리가 한숨을 쉰다.

－내 선에서 해결할 일이 아닌 것 같군요. 새로운 참가자가 등장하는 걸 허락하겠습니까?

"얼마든지."

－감사합니다. 이쪽으로 앉으시죠.

핸리는 누군가에게 자리를 권하며 비켜섰고, 곧 노신사한 명이 자리에 앉는다.

잔잔하게 웃는 눈 속에 범상치 않은 매서움이 숨겨져 있는 노인.

－CIA 국장 허먼입니다. 우리 미국의 친구, 미스터 최를 만나게 되어 영광입니다.

움찔 몸이 굳는 나탈리아를 일견한 종혁은 입술을 비틀며 고개를 살짝 숙였다.

"계속 미국의 친구가 될지 안 될지 모르는 최종혁입니다."

ー저런. 미국이 신뢰를 주지 못했나 보군요. 더 노력하겠습니다. 그럼 일 이야기로 넘어가죠.

친구라는 단어를 들먹여 동정심을 자극하려는 수작이 실패했음에도 CIA 국장 허먼은 능구렁이처럼 화제를 바꿨다.

속으로 피식 웃은 종혁은 다시 입을 열었다.

"일단 한 가지 말하자면, 현 서브 프라임 모기지 사태를 발발시킨 MBS와 CDO, 특히 CDO가 서로 어떻게 연결되어 있는지 저도 3분의 1조차 파악하지 못한 상태입니다."

이번 사태를 발발시킨 주범, 모기지 저당증권 MBS(Mortgagen Backed Security).

MBS는 자산유동화증권의 한 종류로 모기지대출을 해 준 은행이 유동성을 확보하기 위해 저당권을 담보로 다시 채권을 발행하는 것이다.

그리고 여러 금융 상품을 섞어서 만든 파생 상품, 부채담보증권 CDO(Collateralized Debt Obligation).

1차적인 금융 상품의 위험을 줄이는 것을 목적으로 만들어진 것으로, 주로 ABS 등의 신용 위험을 전가하기 위해 만들어지는 경우가 많은데 이것 역시도 이번 사태에 굉장히 깊게 관여하고 있다.

─……그건 놀라운 말이군요.

저 종혁이 다 파악하지 못했다는 말에 허먼의 안색이 바뀌었다.

─그 정도로 복잡하다는 겁니까?

"단순하게 이렇게 생각하시면 됩니다. 카지노에서 딜러와 플레이어가 게임을 하는데, 구경꾼도 그 둘의 게임에 베팅을 할 수 있죠."

─플레이어가 이기느냐, 딜러가 이기느냐.

"예. 그런데 현재 이 상황을 불러일으킨 CDO는 여기서 한 단계 나아가 구경꾼이 따느냐 마느냐, 또 거기에 베팅한 그 구경꾼이 따느냐 마느냐, 또 그 구경꾼이 따느냐 마느냐…… 이게 무한대로 증식된 상태라고 보시면 됩니다."

초기의 구경꾼을 A라고 봤을 때, 알파벳과 전혀 상관없는 한글 가나다라가 A에 투자하고, A가 또 저기 러시아어에 투자할 만큼 서로가 얽혀 있다.

또 월가는 그걸 하나로 뭉쳐 놓아 새로운 파생 상품을 계속 만들어 냈다. 파생 상품에서 파생되는 파생 상품에, 또 거기서 파생되는 파생 상품.

거미줄보다 몇 백 배, 몇 천 배 복잡하게 얽혀 있었다.

"결정적으로 월가는 이 MBS를 담보로 한 CDO의 발행했습니다. 그것도 미국을 무너트릴 만큼 다량으로."

이런 종혁의 말을 듣고서야 사태를 어렴풋이 파악하게 된 허먼의 포커페이스가 무너진다.

대체 뭐가 단순하다는 말인가.

–워, 월가 이 미친놈들이 결국……!

"미국 전역에서 신용 불량자들이 발생할 것이고, 주택을 뺏긴 실업자들이 미 전역에서 살려 달라 외치게 될 겁니다. 그리고 이 피해는 전 세계로 뻗어 나가겠죠."

CDO는 위험도가 높은 것을 기초 자산으로 삼았기 때문에 수익률이 상당히 높았고, 미국의 부동산 경기가 좋았을 때에는 30, 40퍼센트까지 수익을 냈었다.

그렇기에 너도나도 투자를 했던 상황.

일부 공산국가를 제외한 어느 나라에서건 통용되는 부동산은 불패라는 말이 사람들을 현혹시킨 거다.

이는 해외도 마찬가지였다.

해외의 투자은행들은 너무도 매력적인 이 MBS로 이루어진 풀에 대규모 투자를 했는데 지금처럼 미국의 주택 가격이 하락하면서 MBS가 부실화되고 고스란히 그 손해를 물려받고 있었다.

"그렇기에 BNP 파리바가 ABS에 대한 지급 중지를 선언한 거죠. 내가 쓴소리 좀 해도 되겠습니까?"

–말씀하시죠, 최.

"당신들. 닷컴 버블 붕괴 때 대체 뭘 배운 겁니까?"

투자가 아니라 투기에 미쳐 있었던 2001년 닷컴 버블 사태.

나사나 못을 제조하는 회사라도 회사명 뒤에 .com만 붙으면 두 배, 세 배 열 배까지 주가가 치솟던 그 미쳤던 투기 열풍. 그때랑 지금이랑 전혀 달라진 게 없다.

한 번 망할 뻔했으면 배우는 게 있어야 하는데, 그 누구도 배운 게 없다.

—할 말이 없군요. 미국인을 대신해 사과하겠습니다.

"제게 사과할 일이…… 하, 넘어가죠."

양해를 구한 종혁은 담배를 물었다.

찰칵! 치이익!

"그래서, 미 정부가 현 사태를 진정시키는 데 얼마의 시간이 필요할 것 같습니까?"

—최, 최……!

"보스!"

자신이 끼어들 자리가 아님에도 끼어드는 박태규와 권아영.

그럴 수밖에 없다. 지금 종혁은 이 거대한 판에 베팅을 하지 않겠다고 선언한 것이기 때문이다.

—오! 잠시만 기다려 주십시오!

허먼은 마치 구세주를 만난 사람처럼 다급히 말했다.

그럴 수밖에 없다.

이번 바이 차이나 사태로 미국이 벌어들인 돈이 1년 국방부 예산이다.

이는 진짜 1년 국방비 예산이 아니라 한국에서 미국을 속되게 부르는 말처럼 천조국, 그 이상을 벌어들인 거다.

러시아도 그만큼 벌었고, 종혁도 그 반절 정도는 벌지 않았나 조심스럽게 예측되고 있다.

그런 종혁이 참전하지 않는다는데 이보다 다행일 수 있

을까.

"서로 너무 흥분한 것 같으니 잠시 티타임을 가지도록 하죠."

─감사합니다, 최!

다급히 몸을 일으킨 허먼은 영상 밖으로 뛰쳐 나갔고, 종혁은 할 말이 많지만 참는 둘을 향해 고개를 끄덕였다.

"하. 커피면 되나요?"

"달달한 것도요. 머리에 당분이 좀 들어가야 할 것 같네요. 나탈리아도 괜찮죠?"

"난 언제나 괜찮답니다, 최. 할 말도 좀 있고요."

"할 말?"

고개를 모로 기울이는 종혁의 모습에 나탈리아의 미소가 살짝 날카로워진다.

움찔!

'뭐지? 내가 뭘 잘못한 거지?'

"후후. 그보다 먼저 아프간에서 제게 할 말이 있다는 게 이거였나요?"

"예."

종혁은 고개를 끄덕였고, 나탈리아의 눈빛이 낮아졌다.

'최는 러시아가 이번 판에 끼어들지 않기를 원한 거야.'

그러자 왜? 라는 의문이 그녀의 머릿속에 떠오른다.

하지만 지금은 말할 타이밍이 아니다. 허먼은 화면 밖으로 사라졌지만, 저 화면은 이쪽의 상황을 모두 녹화하고 있을 테니 말이다.

"흐음. 뭐 일단 넘어가죠."

"하하, 감사……."

"그런데 CIA 현지 요원과 하룻밤을 보내셨다고요?"

"뭣!?"

박태규와 권아영이 다급히 종혁을 본다.

어떻게 된 거냐는 듯한 추궁 어린 시선.

"자, 잠깐……."

"실망이에요, 최. 우리 러시아에도 미녀가, 그 요원보다 훨씬 대단한 미모를 지닌 요원들이 많은데 말이죠. 그 요원들은 다 뿌리쳐 놓고……."

"잠깐! 그건 오해입니다! 거기에 대해선 할 말이…… 아오!"

할 말이 있을 리가 없다.

거기다 작정하고 놀리려고 한국어로 말하는 그녀이니 여기서 변명을 해 봤자 더 깊은 수렁에 빠질 뿐이다.

종혁은 소영이는 어떻게 하고 그랬냐는 듯 매섭게 노려보는 권아영과 부러움이 가득한 박태규의 시선에 한숨을 내쉬었다.

"일단 이건 나중에 이야기하죠."

"할 이야기가 참 많을 것 같네요, 보스."

"알았으니까 단것 좀 가져다줘요. 제발."

이 짧은 사이에 폭삭 늙은 종혁은 원망을 담아 나탈리아를 노려봤지만, 그녀는 어깨를 으쓱이는 걸로 받아쳤다.

그렇게 약간의 시간이 흐른 후 허먼이 다시 화면 안으로 나타났다.

─바, 반년! 아니, 8개월이면 됩니다!

종혁은 남은 커피를 들이켜며 일어섰다.

"1년을 드리죠."

─오오, 최!

"하지만, 그 이상은 저도 어렵습니다. 저의 이 말을 명심하세요. 정확히 1년입니다."

─……걱정 마십시오, 최. 그 전에 사태를 진정시킬 테니!

─국장님.

─아, 그리고 이 은혜를 어떻게 갚아야 할지 모르겠군요.

종혁은 지금 가늠조차 할 수 없을 이득을 포기한 거다. 마땅한 보답을 해 주지 않고선 스스로를 그의 친구라 칭하기에 부끄러울 수밖에 없었다.

"뭐 적당히 챙겨 주십시…… 아."

순간 뭔가 떠오른 종혁이 입술을 비튼다.

"가능하면 한국 수사 체계에 대해 비판을 해 주시겠습니까? 제가 FBI의 시스템을 차용해 볼까 하거든요."

─최의 뜻대로 될 겁니다. 언제 한번 미국에 오시죠. 아, 외사국에 들어가셨다니 FBI와 교류를 해도 되겠군요. 제가 날짜를 잡을 테니 언제든 연락만 주십시오! 하하!

"예. 그럼 그때 보도록 하죠."

─그럼 전 이만 물러나겠습니다. 당신에게 신의 축복이

함께하길.

'글쎄…….'

미국에 신이 있다면 자신에게 천벌을 내리지나 않으면 다행이다.

속으로 애매하게 웃은 종혁은 작별 인사를 건넸고, 이내 다시 나타난 핸리와 이런저런 이야기를 나누다 화상 통화를 종료했다.

그 순간 종혁의 얼굴에서 사라지는 웃음.

"미국은 절대 1년 안에 해결 못할 겁니다."

폭탄은 한 번 더 터지게 될 거다.

"그것도 지금보다 더 강력하게."

이 폭탄을 설계한 월가조차도 자신들이 어떤 걸 만들었는지, 어디까지 얽혀 있는지 모르는 상황이다. 그런데 외부의 그 누가 이 위험한 폭탄을 해체할 수 있을까.

폭탄은 무조건 터진다고 봐야 했다.

통화가 종료되자 종혁에게 말을 걸려던 나탈리아는 입을 다물 수밖에 없었다.

"보이는 구멍은 막겠지만, 보이지 않는 곳은 막지 못하겠죠. 그리고…… 이번 사태는 그 보이지 않는 게 전부고요."

싸늘한 권아영의 말에 종혁은 고개를 끄덕였다.

이걸 눈치챘기에 아까 종혁에게 반항하는 듯한 모습을 보인 그녀. 일종의 연기였다.

"맞습니다. 한 번 금이 간 댐은 보수를 한다고 해도 결국 터져 버리고 말죠."

보이지 않는 곳, 숨겨진 곳에서 크랙이 생기기 때문이다.

덩치가 커도 너무 큰 미국. 미국은 자신들 몸에 있는 크랙을 다 찾아내지 못할 거다.

회귀 전처럼 월가 전부가 머리를 조아리며 읍소를 하지 않는 이상, 내년에 폭탄은 결국 터질 것이다.

종혁은 권아영과 박태규를 봤다.

"지금부터 바이 아메리카 스탠바이에 들어갑니다. 결시일은 내년 이 시각. 대신 우린 딴 돈의 절반만 가져갑니다."

미국과의 우호를 위해서다.

이번 사태를 통해 벌어들일 돈보다 더 가치있는 그들과의 관계.

"최대한 따내도록 하겠습니다."

"역사상 최고의 판이 될 텐데 한번 죽어 봐야죠, 뭐."

맞는 말이다. 앞으로 최소 10년 안에는 이런 판이 열리지 않을 텐데 반절만 가져가야 한다면 최대한 벌어야 했다.

"이래서 러시아에 아무런 말을 하지 않았던 겁니다. 제 배려가 마음에 드십니까, 나탈리아?"

"……무척이나."

온몸을 내달리는 전율에 나탈리아의 입에 파르르 떨린다.

"이로써 미국이 우리 러시아에게 빚을 지게 된 거네요."

"그것도 아주 큰 빚이죠."

어쩌면 미국 한 해 예산에 버금갈지도 모르는 수익을 러시아가 포기했으니 미국으로선 앞으로 저자세가 되어야 할 터.

그게 10년이 될지 20년이 될지는 아무도 모른다.

"고마워요, 최. 역시 당신은 언제나 제게 믿음을……."

"나탈리아. 아니, 러시아."

순간 뭔가 심상치 않음을 느낀 나탈리아의 표정이 굳는다.

"맹주가 되십시오."

"……예?"

"주위 모든 것을 아우르는, 동아시아를 비롯한 유럽 전부를 아우르는 맹주. 가만히 배를 깔고 누워 있어도 결코 그 신경을 건드리지 않는 배부른 사자가 되세요."

그러면 러시아는 끝없이 발전하게 될 것이다. 굳이 다른 나라를 침략을 하지 않아도 될 만큼 말이다.

결국 부족한 게 있기에 하는 것이 전쟁.

종혁은 그걸 경고하는 것이었다.

"언제나."

'저 미국처럼.'

종혁은 그렇게 되길 바라며 그동안 러시아와 함께했던 것이다. 러시아가 인면수심의 욕심쟁이가 되지 않기를 바라며.

그 어떤 때보다 진지한 종혁의 모습에 나탈리아는 이를 악물었다.

"……언제나 저희를 깨우쳐 줘서 고맙습니다, 최. 우리 러시아의 친구, 최. 당신의 충고 명심하겠습니다. 우리 러시아는 그 말을 지키려 노력할 것입니다."

종혁은 자신이 본 것 중 가장 진지한 그녀의 대답에 싱긋 웃었다.

"자, 그럼 상황도 일단락됐으니 술이나 한잔하러 갈까요?"

시말서는 내일 아침에 후딱 써도 됐다.


그리고 그로부터 몇 시간이 흐른 후.

종혁과 헤어져 러시아 대사관으로 복귀하는 차에 오른 나탈리아의 얼굴에서 미소가 사라진다.

"배부른 사자……. 대체 어디까지 내다본 것인가요, 최."

자신이 이 세상에서 가장 사랑하는 괴물은 대체 어떤 그림을 그리고 있는 걸까. 대체 무슨 그림을 그렸기에 현재 물밑에서 논의만 된 일을 눈치챈 걸까.

하지만 옳은 말이다. 아니, 훌륭하기 그지없는 생각이다.

'맞아. 러시아는 예로부터 맹주였어.'

"돌아가자마자 대통령님과 대담을 할 거야. 그거 준비하고, 최에게 보낼 여성 요원들 추려."

"예, 지부장님."

차창을 내린 나탈리아는 담배를 물었다.

'우리 러시아는 언제나 당신에게 받기만 하는군요.'

서울의 밤공기가 오늘따라 상쾌하게 느껴졌다.

* * *

"흐아, 죽겠다."

오늘 하루 이리저리 돌아다니며 이 시간까지 스케줄을 소화한 그녀들.

불러 주는 거야 감사하지만 이러다간 정말 쓰러지는 게 아닌가 하는 걱정이 든다. 스케줄을 모두 마쳤는데 안무 연습을 하러 회사로 왔기에 더욱.

"아, 윤아야!"

"넹?"

"정말 그 멋지고 잘생기고 돈도 많고 몸도 좋으신 경찰 오빠가 너희 삼촌 맞아?"

뭔가 수식어가 늘은 것 같았지만, 무시한 윤아는 어색하게 웃었다.

'삼촌이 아니라 증조할아버진데…….'

"네. 먼 친척 삼촌이세요! 왜용?"

"저, 정말? 나, 나이는?"

순간 흥분하는 언니들의 모습에 윤아의 눈이 가늘게 떠진다.

"마흔다섯이요."

"응?"

"우리 삼촌이 좀 동안이에요."

"······하하. 우리 윤아 거짓말이 많이 늘었네? 아이코, 오늘 많이 힘들었지? 목 마르지 않아? 자, 여기 음료수 좀 마셔 봐."

콧방귀를 뀐 윤아는 고개를 팩 돌렸고, 언니 라인의 소녀들은 그런 윤아를 달래기 위해 어깨도 주무르고 다리도 주무르며 살살 구슬렸다. 거기엔 리나도 껴있었다.

그에 '언니까지?' 하며 충격을 받은 윤아.

그런 그들에게 한 남성이 다가선다.

"저 애들아······."

"어? 선배님, 안녕하세요!"

"안녕하십니까!"

"그래, 안녕? 방금 윤아 아시는 분이 경찰이라고 하던데 내가 제대로 들은 게 맞니?"

윤아는 초췌하기 그지없는 남자 선배의 모습에 고개를 모로 기울였다.

\*　\*　\*

화려한 조명이 비추는 무대 위.

음악이 멈추자 다섯 남자가 포즈를 취한다.

"후욱! 훅!"

거친 숨을 몰아쉬는 그들을 향해 쏟아지는 함성들.

그들의 얼굴에서 흘러내리는 땀에 자리에서 일어난 여성 팬들이 미쳐 버린다.

"꺄아아아아악!"

"오빠―!"

"SN5! SN5!"

목이 터져라 외치는 팬들의 모습에 현재 최절정의 인기를 구가하고 있는 SN엔터테인먼트의 보이그룹 SN5는 싱긋 미소를 지으며 손을 흔들고 그와 동시에 무대 위가 어두워진다.

그러자 포즈를 풀며 허리를 90도로 숙이는 그들.

"수고하셨습니다!"

"좀 있다가 보자, 얘들아!"

"아아아아악!"

"오빠아―!"

팬들의 함성을 뒤로한 채 무대를 내려온 그들을 반긴 건 사람들이 부산하게 돌아다니는 어두운 백스테이지와 그들 다음으로 무대에서 노래를 부를 아이돌 가수였다.

"수고하셨습니다!"

SN5를 향해 허리를 구십도로 숙이는 JC엔터테인먼트 소속 5인조 보이그룹 라이징썬.

데뷔곡부터 메가 히트를 치더니 현재는 그들 SN5의 아성을 위협하는 중이다.

이 바닥에선 인기가 전부라지만 그보다 그들의 심기를 건드리는 건 바로 이들의 성장 스토리다.

지금까지도 전 국민의 사랑을 받는 휴먼 다큐 프로그램에서 데뷔 과정을 방영하며 시청자들을 홀리더니 그 인기를 등에 업고 데뷔한 라이징썬.

그것도 모자라 JC엔터테인먼트 소속 가수와 배우들이 미니홈피나 인터뷰에서 이들을 응원하면서 단숨에 국민들의 관심을 얻었고, 데뷔곡이 성공하며 일약 스타덤에 올랐다.

밑바닥에서부터 시작한 그들과는 차원이 다른 온실 속의 화초들.

그 때문에 SN5의 몇몇 멤버들의 표정이 썩 좋지 못했다.

SN5가 별말이 없자 허리를 펴지 못한 라이징썬의 얼굴이 굳어 가고, 백스테이지에 싸늘한 냉기가 몰아친다.

"……."

"하하. 그래요. 라이징썬도 수고해요! 뭐해, 어서 가자. 가자고."

그룹의 리더인 최상민이 등을 떠밀자 그제야 못이긴 척 대기실로 향하는 그들 SN5.

"안녕하십니까!"

어느덧 데뷔 4년 차가 되다 보니 대기실로 향하는 중 인사를 하는 것보다 받는 게 많아졌다.

그렇게 대기실에 도착하니 꾹 다물어졌던 멤버들의 입이 트인다.

"난 쟤들 마음에 안 들어."

"시발. 저런 지원을 받으면 지나가는 개를 데려다 놔도 저쯤은 해."

불만이 가득한 몇몇 멤버들의 모습에 최상민은 한숨을 내쉬었다.

"애들아, 우리도 지원 엄청 받으면서 컸어."

JC의 아성에 가려져서 그렇지 SN도 굉장히 큰 회사다.

90년대 아이돌 전성시대를 열며 대한민국 2대 기획사라 불렸던 DYP조차도 이젠 저 아래로 볼 수준으로 성장한 회사.

그런 SN엔터테인먼트가 사활을 걸고 데뷔를 시킨 게 바로 자신들 SN5다.

그런 지원이 있었기에 성공적으로 데뷔할 수 있었고, 현재 이 위치에 설 수 있었다. 팬덤의 규모만 60만 명. SN5는 명실상부 대한민국 최고의 남자아이돌 그룹이었다.

그룹 이름은 아직까지도 마음에 안 들지만 말이다.

"형은 대체 누구 편이야!"

"우리도 이제 데뷔 4년 차야. 철 좀 들자. 그거 다 나중에 너희한테 돌아온다니까?"

"아오! 그만 좀 해, 이 선비야!"

"말하면 좀 들어, 이 자식들아!"

"몰라!"

최상민에게 한 소리를 들은 멤버들은 소파에 누우며 몸을 돌렸고, 최상민은 그런 멤버들의 모습에 한숨을 내쉬었다.

"저 자식들은 언제 철이 들런지……."

안 그래도 이런저런 이유로 힘들어 죽겠는데 멤버들마저 저렇게 반항을 하니 정말 미쳐 버릴 것 같다.

"힘내, 리더 형."

고생한다며 등을 토닥이는 막내의 손을 잡으며 고맙다는 듯 힘없이 웃은 최상민은 대기실 한구석에 구겨져 있는 매니저를 봤다.

그들의 인기가 궤도에 오르다 못해 그냥 풀어놔도 알아서 잘할 수준이 되자 붙여 준 매니저. 중요 예능이나 인터뷰를 제외한 나머지 스케줄에는 이 매니저가 그들을 케어했다.

SN5의 현재 위치를 생각하면 결코 이해되지 않는 인사.

－믿는다, 상민아.

데뷔 때부터 자신들을 담당해 온 실장의 말을 떠올린 최상민은 잠시 눈을 감으며 마음을 다스렸다.

"매니저 형, 우리 다음 스케줄이 뭐예요?"

"예? 아, 예! 순위 발표가 끝나자마자 부산 해운대 축제 초대가수로 가셨다가……."

동해 쪽 라인을 쭉 훑고 올라와 새벽 2시에 숙소로 복귀하는 살인적인 스케줄. 이후 타 방송국의 음악방송을 출연을 위해 3시간만 자고 일어나야 한다.

"뭐, 2시!? 우리 연차에 그게 말이 돼?!"

데뷔 후 인지도를 얻기 위해 발악을 할 때나 소화했던

양의 스케줄.

현재 자신들 정도의 위치라면 지상파 3사 음악방송까지 합하여 일주일에 열 개 정도면 충분하다. 아니, 일주일에 열 개도 솔직히 많은 수준이다.

제아무리 여름 시즌이라고 해도 말이다.

"이게 벌써 몇 달째인데!"

여름 시즌인 6월 말부터 현재까지 하루에 최소 4개 이상씩 스케줄을 소화하고 있던 멤버들이 결국 폭발한다.

"그래, 시발! 어차피 15년짜리 노예라는 거지?!"

15년의 전속 계약.

데뷔를 하기 위해선 어쩔 수 없이 받아들여야 했던 계약이다.

"제, 제가 스케줄을 짠 게 아닌데요…….'"

"형, 이것만 딱 말해. 해운대에 라이징썬 새끼들도 오는 거지?"

움찔!

"씨발! 나 안 가!"

"나도 안 가! 배 째! 차라리 죽여, 이 개새끼들아!"

"아, 아니 그러지들 마시고…….'"

최상민은 안절부절못하는 매니저를 보며 한숨을 내쉬었다.

솔직히 그도 이 살인적인 스케줄이 마음에 들지 않는다. 현재 그를 지치게 만드는 이유 중 하나일 정도로 버겁다.

하지만 대리급도 되지 못한 매니저가 무슨 잘못이겠는가.

'모두…….'

윗사람들 잘못이다.

JC엔터테인먼트가 라이징썬을 성공적으로 런칭한 이후 급격히 늘어나게 된 스케줄. 자신들로 하여금 라이징썬을 견제하겠다는 상부의 의도였다.

라이징썬의 스케줄과 겹치는 스케줄이 많은 것을 보고도 이걸 눈치채지 못한다면 바보라고 할 수 있었다.

'그런데 왜 그걸 우리가 해야 하냐고……. 우리 뒤에 데뷔한 애들도 있잖아요. 걔들이 라이징썬의 라이벌이어야 맞는 거잖아요.'

재작년에 데뷔한 13인조 남자아이돌 그룹.

데뷔 시기상 라이징썬의 라이벌이 되어야 하는 건 그들이어야 했다.

'그런데 왜 이러는데요. 여태까지 많이 벌어다 줬잖아요. 우린 감정 없는 인형이, 상품이 아니라고요…….'

자신들을 케어해도 모자랄 회사가 이득만 생각하니 그는 점차 지칠 수밖에 없었다. 거기다 어떻게 좀 해 보라는 듯 쳐다보는 매니저의 모습까지 그를 더 지치게 만든다.

"상민 씨……."

울컥!

'쟤들 달래는 건 당신이 할 일이잖아! 그러라고 있는 게 매니저잖아! 그런데 왜 다 나한테만 기대는 건데!'

하지만 할 수 없는 말.

여기서 자신이 폭발해 버리면, 저 철없는 멤버를 제어할 사람이 없기 때문이다. 지금쯤 회사에 있을 실장이 와도 불가능 한 일이었다.

"……하아."

안절부절못하는 매니저에게 나가라고 손짓한 최상민은 뚱해 있는 멤버들을 바라보다 입술을 달싹이다가 관뒀다.

말은 저렇게 했지만, 그래도 스케줄은 펑크 내지 않는 프로들이기에 부산으로 향할 차에 오를 거란 걸 알고 있기 때문이다.

아니, 이젠 달래는 것도 귀찮을 만큼 모든 게 힘들었다.

'이번 여름 시즌이 끝나면 좀 쉬어야겠어.'

병원에 입원을 해서라도 말이다.

딱 죽기 일보 직전의 상태. 이러다간 무대에서 쓰러지는 게 아닐까 싶을 정도로 그의 몸과 정신은 한계에 몰려 있었다.

다시 한숨을 내쉰 그는 무대에 오르기 전 먹다 남긴 녹차가 든 보온병을 들어 입에 가져갔다.

그 순간이었다.

"읍?!"

콧속으로 훅 빨려 들어오는 비릿한 냄새.

눈을 부릅뜬 그는 다급히 대기실을 박차고 뛰어나갔다.

"형, 왜 그래! 무슨 일이야!"

같이 달려 나오는 막내의 손을 뿌리친 그는 복도를 달려 도착한 화장실의 세면대에 입에 머금고 있던 액체를 뱉어 냈다.

"웩!"

"헉헉! 형! 대체 무슨…… 힉?! 피, 피?"

세면대를 붉게 물들인 피.

경악한 최상민의 눈이 파르르 떨린다.

뚝 하고 머릿속에서 무언가가 끊긴다.

"혀, 형 괜찮아?"

"……내 피 아냐."

"뭐, 설마? 형, 괜찮아? 입안 좀 봐 봐!"

"내 피가 아니라고. 내 피가…… 내 피가…… 내 피가……."

"형? 형! 정신 차려, 형!"

최상민은 결국 무너지고 말았다.

\* \* \*

어두운 저녁, 서울의 어느 일식집.

예약한 방으로 들어온 종혁은 이 한여름에도, 그것도 밀폐된 방 안에 있음에도 마스크와 모자, 심지어 목도리까지 둘러 중무장한 사내의 모습에 속으로 한숨을 뱉었다.

심각할 정도로 방어적인 자세였다.

"먼저 와 계셨군요. 늦어서 죄송합니다."

"아, 예예! 아, 안녕하세요?"

"윤아에겐 말씀 많이 들었습니다. 그렇게 후배들을 위해 주신다고요? 본청 외사국 외사수사과 6팀장 최종혁 경정입니다."

"저, 저도 윤아에게 말씀 많이 들었습니다. 최상민입니다."

"아이구, 이 대한민국에서 상민 씨를 모르는 사람이 있을까요. 그런데 혹시 어디 최씨인지?"

"경주 최씨요."

"오호? 혹시 파가?"

"그, 글쎄요?"

"하긴 그것까지 아는 사람은 별로 없죠. 저 같은 노땅이나 그런 걸 따지지…… 아, 맞아. 앉으시죠."

자리를 권하며 그의 반대편에 앉은 종혁은 은은히 웃으며 입을 열었다.

"여긴 회원제로만 운영되는 곳이라 목에 칼이 들어와도 고객들의 프라이버시를 지키니 얼굴을 드러내셔도 됩니다."

"네? 아……!"

마치 자신이 중무장을 하고 있다는 것도 몰랐다는 듯 반응하는 그의 모습에 종혁의 한숨을 더욱 깊어졌다.

하지만 입가의 미소는 더욱 짙어졌다.

"어이구. 이거 실물이 백배 낫네요. 이래서 카메라는 믿을 게 못 되나 봅니다."

"네? 아하하. 감사합니다."

최상민의 얼굴이 약간 밝아지자 고개를 끄덕인 종혁은 음식과 술을 시켰다.

"아, 술 괜찮으시죠?"

"네, 네."

"다행이네요."

자신이 도착하자마자 요리를 내와 달라고 말해 놨기에 술과 음식은 금방 나왔고, 종혁은 그의 잔에 술을 따라 주었다.

"저……."

"이야기는 일단 먹고 하시죠. 배에 뭔가가 들어가야 하고자 하는 이야기를 까먹지 않을 수 있거든요."

현재 최상민은 급하다. 그러면서도 여태껏 경찰에 신고를 할 수 없을 만큼 남을 믿지 못하는 상태.

'남을 믿지 못하는 것인지, 아님 다른 이유 때문인지 모르겠지만…….'

지금 이야기를 해 봤자 중구난방, 자신이 하고자 하는 말을 제대로 하지 못할 거다.

그만큼 최상민은 궁지에 몰려 있었다. 그의 자세부터 시작해 신체가 보내오는 모든 신호가 그렇다고 말하고 있었다.

"네……."

썩 이해되진 않는 말이었지만, 최상민은 숟가락을 들어 전복죽을 입에 가져갔다.

고소한 참기름 향과 자연산 활전복의 탱글탱글함이 입

안을 어지럽히지만, 안타깝게도 최상민은 그걸 느끼지
못했다.

마치 아무 맛도 안 나는 미음을 먹는 듯한 느낌.

종혁의 말 때문에 억지로 몇 숟갈 뜨던 최상민은 곧 수
저를 내려놓으며 술이 담긴 술잔을 응시했다.

활동 중인데 술을 마셔도 될까. 형사 앞인데 마셔도 될
까. 그런 갈등이 들었다.

"짠 하시죠?"

"예? 아, 네……."

종혁의 권유에 어쩔 수 없이 잔을 부딪친 최상민은 술
을 살짝 머금었다가 이내 눈을 동그랗게 떴다.

무리한 다이어트와 스케줄로 인해 작년부터 뭘 먹어도
아무런 맛을 느낄 수 없던 입안에 화사한 벚꽃이 핀다.

달콤하면서도 새콤하고, 또 씁쓸한 분홍빛의 맛.

최상민은 자신도 모르게 술을 쭉 들이켰고, 이내 배 속
에서 훅 치솟는 열기를 뱉어 냈다.

"후아."

"오. 주도를 제대로 배우셨네. 아버님께 배우셨나 봐요?"

어떻게 알았냐는 듯 살짝 놀라는 그의 모습에 종혁은
미소를 지었다.

"자, 한 잔 더 받으시죠."

"아, 네. 감사합니다. 혀, 형사님도 받으세요."

"어이쿠. 감사합니다. 자, 다시 짠?"

"짜, 짠."

챙!

그렇게 한 잔, 두 잔 빈속에 술을 들이켜던 최상민의 볼이 터질 듯 달아오르고 몸의 긴장이 풀리기 시작한다. 그것도 모자라 술을 마신 후 자연스럽게 자극적인 맛의 안주를 찾는 그.

그제야 때가 됐음을 알아차린 종혁은 슬그머니 운을 뗐다.

"안티라고요?"

움찔!

이를 악문 최상민이 다시금 술을 들이켠다.

"네, 아마도요."

그의 정신을 피폐하게 만드는 주범 중 하나 안티팬.

대체 어떻게 음악방송의 대기실까지 들어올 수 있었는지, 그리고 자신이 쓰는 보온병은 어떻게 알고 거기다 피를 담아 둔 것인지는 몰라도 안티팬의 소행임이 틀림없었다.

"어쩌면 사생일 수도 있고요……."

이런 의심을 할 만큼 정신나간 사생들이 많다.

'어이쿠.'

"혹시 그 보온병은 가져오셨습니까?"

"예. 혹시 몰라서……."

"잘하셨습니다."

최상민이 내민 보온병을 증거물 봉투에 담아 안 보이게 내려놓은 종혁은 다시 그의 잔에 술을 따랐다.

"이런 일이 자주 있습니까?"

"후우……. 예."

눈이 없는 사진이나 편지 속에 커터칼이 들어 있는 건 예사고, 빨간 물감으로 '죽어라'만 가득 써진 편지를 받은 적도 있다.

이런 게 하루에도 수십 개씩 쏟아진다.

종혁은 미간을 좁혔다.

"소속사에선 체크를 하지 않는 겁니까?"

마치 그의 입장을 이해한다는 듯 은은한 분노가 섞인 말투에 최상민은 울컥했다.

"제 말이……!"

순간 폭발했던 최상민은 아차하며 목소리 톤을 낮췄다.

하지만 이미 분노가 서리기 시작한 그의 눈.

'날 처음 보는 사람도 이렇게 화내 주는데, 왜 회사는……!'

"제 말이 그겁니다. 그거라고요."

"왜죠?"

"……후우. 애들이 보낸 건 다 겉으로 보기엔 멀쩡해 보이거든요."

거기다 하루에 쏟아지는 팬레터와 선물의 숫자가 수 만 개다. 그 사이에서 안티가 보낸 악의를 모두 골라내는 건 불가능한 일에 가까웠다.

"하지만 그러라고 있는 게 소속사일 텐데요? JC와 JYK는 그러는 걸로 알고 있습니다."

"저, 정말요?"

종혁은 고개를 끄덕였다. 그걸 지시한 게 바로 종혁 본인이기 때문이다.

"두 회사에는 따로 그것만 확인하는 인력이 배치되어 있습니다."

그리고 종혁은 SN에도 대주주의 권한으로 이것을 요구했었다.

"와. 와아아……."

"흐음. 그래요."

'회사 운영을 좆같이 하네?'

순간 눈빛이 차가워졌던 종혁은 다시 입을 열었다.

"흠. 상황이 이럼에도 신고는 왜 안 하신 겁니까?"

최상민을 만나기 전 신고 내역이 있는 지 알아봤지만, 놀랍게도 SN이나 소속 아티스트의 이름으로 신고된 내역은 단 하나도 없었다.

누가 봐도 이상한 상황.

최상민은 다시 이를 악물었다.

"안티팬도…… 팬이니까요."

자신들을 까기 위해서 자신들의 음악을 듣고 자신들이 나오는 예능을 보고, 자신들이 나오는 잡지를 보는 구매자.

그런 의미에서 사생도 팬이다. 그것도 SN5의 상품을 적극적으로 구입하는.

더욱이 현재는 일본에도 진출해 있는 상황이라 한 명의 팬이 소중하기에 그런 불미스런 일을 만들 수가 없다는 게 회사의 입장이었다.

종혁은 입을 떡 벌렸다.

"그 범죄자들이 팬이라고요? 그건 누구 대가리에서 나온 말입니까?"

안티팬이 어떻게 팬일까. 걔들은 사생팬들처럼 그냥 범죄자다.

대가리란 말에 놀라고, 이런 종혁의 말에 한 번 더 놀란 최상민의 얼굴이 일그러진다.

"……흑!"

"최상민 씨?"

"아, 아. 죄, 죄송합니다. 갑자기 눈물이 나서…….."

"……아닙니다. 차라리 우세요. 여기서 나눈 이야기는 결코 밖으로 흘러나가지 않을 테니까. 저도, 다른 사람도 듣지 못할 겁니다."

울어야 한다. 울어야 산다.

현재 최상민의 상태에선 울음만큼 효과적인 치료는 없었다.

"흑! 흐윽! 흐어어어엉!"

종혁은 결국 대성통곡을 하는 최상민의 옆으로 다가가 등을 다독여 주었다.


"훌쩍. 죄송합니다."

"아닙니다. 남자가 울 수도 있는 거죠. 이건 비밀이지만, 저도 가끔 울거든요."

"혀, 형사님도요?"

"다른 사람에겐 비밀입니다."

"네에……."

종혁은 어색해하면서도 웃는 그의 모습에 미소를 지었다.

'이제야 진짜로 웃네.'

가슴이 꽉 막힌 것처럼 답답했다.

"그럼 이 사건 제게 맡기시는 걸로 생각하면 되겠습니까?"

"……네."

살고 싶다.

이대론 죽을 것 같기에 뭐라도 하고 싶은 마지막 발악. 이젠 소속사가 말려도 자신부터 살아야 할 것 같다.

그런 의지가 전해지는 최상민의 눈에 종혁은 고개를 끄덕였다.

"알겠습니다. 그럼 현 시각부로 최상민씨의 사건을 접수하도록 하겠습니다."

외사수사과의 업무를 파악하기도 바쁜 와중이지만, 자신이 외면하면 좋지 못할 선택을 할 만큼 궁지에 몰려 있는 피해자를, 대한민국 최고의 아이돌이 아니라 툭 치면 깨져 버릴 피해자를 어찌 외면할까.

'그러니 이 값은 톡톡히 치러야 할 거다.'

현재로선 누군지 알 수 없는 이번 사건의 범인을 떠올린 종혁의 눈빛이 싸늘하게 가라앉았다.

\* \* \*

　사건을 해결하려면 현장부터 살펴라.

　보온병을 국과수에 맡긴 종혁의 명령을 받은 최재수는 다음 날이 되자 방송국으로 향했다.

　"그러니까 외부인의 출입이 완전히 막을 순 없다는 겁니까?"

　종혁과 있을 때와 달리 매서운 최재수의 눈.

　상부의 명령을 받고 최재수를 안내하러 온 PD의 어깨가 움츠러든다.

　"저희도 나름대로 통제는 하지만……."

　음악방송을 하는 날에는 최소 스무 팀이 훌쩍 넘는 가수들과 그 가수들의 스태프가 온다.

　그 숫자가 수백 명이다.

　여기에 방송국 스태프에 청소부, 가수들이 배고프다고 음식 배달을 시키면 그 배달부까지 들어오니, 실질적으로 거의 오백여 명이 리허설 시작인 아침 9시부터 이 좁고 길지 않은 복도를 지나는 거다.

　"입구가 세 개던데 거기만 통제하면 될 거 아닙니까?"

　사람이 많이도 필요한 것도 아니다. 입구 세 곳에 사람 한 명씩, 총 세 명이면 충분했다.

　그런 날카로운 지적에 PD가 울컥한다.

　"하죠! 저희도 합니다!"

매주 음악방송 땐 외부인의 출입을 막는 인원이 따로 배치된다.

　그런데 이 안티나 사생팬들은 대체 무슨 수를 쓰는 건지 그 검색을 뚫고 들어온다.

　그중에서 가장 대표적인 방법이 배달부로 위장하는 것이었다.

　"그, 그렇게까지 한다고요?"

　"예!"

　배달부를 대체 어떻게 막는단 말인가.

　배달부를 막았다가 톱스타가 기분이 상해 클레임이라도 걸어 버리면?

　괜히 막아섰던 이가 독박을 쓸 수도 있었다.

　"그런데도 맨날 우리한테만 뭐라 하고 말이에요!"

　그렇다고 막지 않아서 문제가 터져도 문제였다.

　몰래 들어온 사생팬, 안티팬으로 인해 문제가 터지면, 그날 출근한 모든 스태프가 줄줄이 깨지는 거다. 시말서는 기본이고, 특히나 입구를 통제했던 스태프는 감봉까지 당한다.

　마음 같아선 팬이라고 부를 만한 이들도 없는 신인들로만 무대를 채우고 싶을 지경이었다.

　"우리가 봉이야?! 그럼 자기네들이 팬 관리를 잘하던가! 우리도 월급쟁이라고! 월급쟁이!"

　"지, 진정하시죠."

　"……후우. 아, 여깁니다. 청소를 해서 뭐가 나올지는 모르겠지만…….”

어제 SN5가 쓴 대기실 앞에 도착한 최재수는 습관적으로 CCTV부터 찾았다.

“저것과 저거, 여기를 비추는 것 맞습니까?”

“예. 아마 그럴 겁니다.”

“그럼 저것들 좀 제공해 주시고…….”

최재수는 종혁이 협조 요청을 한 과학수사대의 감식 요원들을 봤다. 오늘처럼 강력 사건이 아닌 경우엔 국과수가 아니라 과학수사대에 맡겨도 충분했다.

“부탁드리겠습니다.”

최재수는 그러며 하얀 봉투를 쥐여 줬고, 과수대 팀장의 얼굴이 활짝 밝아졌다.

“어이구. 재수 씨, 형사 다 됐어?”

“아하하.”

“자, 그럼 시작해 보자고. 머리카락 한 올, 실밥 하나까지 샅샅이 찾아!”

“옙!”

어제 이 대기실을 출입한 사람의 것을 제외한 지문이나 머리카락. 이들이 찾으려는 것은 그것이었다.

최재수는 그들이 들어가자 핸드폰을 들었다.

“예, 오 경감님. 거긴 좀 어때요?”

근처 방송국 근처의 중국집이나 족발집 등에 조사를 나간 오택수.

─어떻긴 뭘 어때. 내 딸내미가 이런 짓 한다고 생각하

면 확 다리몽둥이 부러뜨리고 싶지. 진짜 지랄도 이 정도면 정성이다, 정성이야.

음식점들의 이야기를 들어 보니, 자신들이 배달을 하러 오면 음악방송이 열리는 공개홀 정문과 후문 근처에서 매니저, 또는 스태프인 척 대기하고 있다가 음식을 받아 간다고 한다.

어디서 구한 것인지 스태프 명찰 목걸이까지 차고 있으니 그들로서도 속아 넘어갈 수밖에 없었다.

ㅡ최 팀장은 지금 어디래?

"아, 팀장님은……."

\* \* \*

쿵!

테이블 위에 발을 올린 종혁이 굉장히 띠꺼운 표정으로 SN엔터테인먼트의 회장 김수남과 현 대표이사인 김경수를 본다.

"내가 이 회사에, 2000년 막 상장을 하려고 당신들이 온갖 지랄을 할 때 투자를 하면서 당신들에게 요구한 건 많지 않았습니다."

1세대 아이돌을 성공시켰지만 이후 별다른 아이돌을 키워 내지 못해 빌빌거려 최후의 수단으로 상장을 준비한 당시의 SN.

종혁은 JC를 통해 엔터가 제법 돈이 된다는 걸 깨달은 이후 SN엔터테인먼트에 따로 주식을 매입하는 한편 투자를 했고, 그 투자에 힘입은 SN는 현재 SN의 간판스타가 된 노아를 성공적으로 데뷔시켰다.

윤아가 친척인 걸 알게 된 이후엔 주식을 더 매입해 2대 주주가 된 상태다.

"지금껏 단 한 번도 배당을 하지 않아도, 당신이 만든 용역회사에 일감을 몰아줘도 별말 하지 않고 딱 내가 요구한 것만 지켜지길 바랐다고."

소속 연예인을 상품으로만 취급하지 마라.

소속 연예인의 멘탈을 신경 써라.

종혁이 요구한 건 딱 이것뿐이었다.

"그런데…… 그 요구가 지켜지지 않네요? 전속 계약 15년? 난 그런 거 허락한 적 없는데?"

종혁의 고개가 삐딱하게 기울어지자 김수남과 김경수의 얼굴에서 식은땀이 홍수처럼 터진다.

"그, 그게 최 팀장님……."

"김수남 대표님, 그냥 JC랑 합병할래요?"

"흡?!"

"나 거기 대표님이랑 친하니까 다리 놔 줄 수 있어요. 경영하기 싫으면 지금이라도 말해요."

"최 팀장님!"

김경수는 다급히 종혁의 앞에 무릎을 꿇고 고개를 처박았다.

그는 종혁이 단순한 2대 주주가 아니라, 기침만 해도

SN엔터테인먼트를 무너뜨릴 힘을 지니고 있다는 걸 알고 있었다.

그리고 그가 말뿐인 협박을 내뱉는 인물이 아니라는 것도.

종혁은 간절히 애원하는 김경수를 일견하며 김수남을 봤다.

"아, 참. 경영 일선에서 물러났다고 하셨나? 그럼 회사에 미련 없으시겠네요?"

"최 팀장님!"

"……죄송합니다, 최 팀장님. 모두 제 불찰입니다."

끝내 김수남마저 고개를 숙이자 종혁은 테이블에서 다리를 내렸다. 그에 김수남과 김경수는 잘 끝나게 됐다며 작은 희망에 젖었지만…….

"2대 주주의 권한으로 감사를 요청합니다. 회계 자료, 계약서, 그리고 소속 연예인의 피해 사실과 당신들이 파악한 사생 및 안티 목록 모두 가져오세요. 2시간 드리겠습니다."

"최 팀장님-!"

김수남 회장과 김경수 대표의 얼굴이 파랗게 질렸다.

\* \* \*

-기획 말이가?

"달란트 애들 대검에 뺏기셨잖아요."

원래라면 친한 강철선에게 맡겼겠지만, 사안이 사안이라 박노형 대통령이 직접 대검찰청에 사건을 맡겼다.

이런 것까지 간섭을 했다간 오히려 강철선에게 좋지 않은 일이라 종혁은 그냥 참고 지켜만 봤다.

"요새 특수부에도 별일 없는 것 같으니 TV 한번 타시죠? 이미지도 개선시킬 겸."

─그냥 니가 꼬롬한 게 아이고?

달란트는 종혁이 다 구했는데, 칭송을 받는 건 박노형 대통령과 외교부 장관이다.

이미 종혁을 통해 사건의 전말을 모두 들은 강철선으로서는 종혁이 이 일을 통해 국민들의 시선을 돌리려 하는 게 아닌가 하는 의심이 들 수밖에 없었다.

"싫으면 다른 분에게 맡기고요."

─마! 우리 사이가 거밖에 안 되나! 판 예쁘게 깔아 볼 테니까네 닌 자료만 던지라!

"옙! 믿겠습니다!"

─아, 그보다 현희는 언제 데려갈…….

다급히 전화를 끊은 종혁은 이쪽을 쳐다보는 오택수와 최재수의 모습에 의아해했다.

"왜요? 닭 잡는 데 소 잡는 칼을 쓰는 것 같아서요?"

"잘 아네?"

강철선은 서울중앙지검 특수부, 사회적으로 이슈가 되는 사건이 아닌 이상 결코 사건을 맡지 않는 서울중앙지검의 특수부의 부장검사다.

사생팬, 안티팬 문제가 물론 가벼운 문제는 아니지만, 특수부가 나서기에는 작은 건수라고 생각될 수밖에 없었다.

그에 종혁은 피식 웃으며 SN엔터테인먼트가 파악한 사생 및 안티 목록들을 내려놨다.

"애들이 처벌을 받으면 얼마나 받을까요?"

과거, 여가수 박시윤 스토커 사건을 해결했을 당시에는 스토커가 박시윤의 목숨까지 노렸기에 중형이 내려졌지만, 이번 사건의 가해자들은 대부분 상해를 입힌 것도 아니고 대부분이 미성년자였다.

기껏해야 벌금 정도로 처벌이 끝날 터.

종혁은 그것으로 이 문제가 해결될 거라고 생각하지 않았다.

"햐. 진짜 이 동네는 바람 잘 날 없네. 예전에 김종두 과장님이 박시윤 스토커 사건을 해결하면서 재정된 법이 처벌 수위가 약하진 않을 텐데?"

당시 스토킹에 관한 법이 재정되면서 대한민국의 수많은 스토커들이 처벌을 받고, 열 번 찍어 안 넘어가는 나무가 없다는 말이 싹 사라졌었다.

오택수는 당시 뉴스를 시청하며 드디어 정치인들이 일을 한다며 툴툴거렸던 기억이 있었다.

"한 번 눈이 돌아가면 아무것도 보이지 않을 나이잖습니까. 그보다 재수. 나왔어?"

"지금 계속 살펴보고 있습니다!"

"아니, 뭐가 그렇게 오래 걸려."

SN5가 무대에서 공연을 하던 시각, 그에 그들을 케어하기 위해 코디와 매니저들도 모두 자리를 비운 시각. 딱 그때 대기실에 몰래 들어온 사람만 찾으면 된다.

무대에 오르기 전 보온병의 물을 마셨다는 최상민의 증언이 있으니 말이다.

"저도 그 부분을 중점적으로 살피고는 있는데……."

그 시각 SN5의 대기실 앞을 지나는 사람이 너무 많고, CCTV의 화질도 썩 좋지 못해서 문이 열리는지 열리지 않는지가 잘 파악되지 않았다.

이 시간대만 벌써 5시간째 살피고 있는 최재수로선 정말 미쳐 버릴 노릇이었다.

"씨이. 방송국이면 좀 좋은 걸 쓰지."

투덜거리는 최재수의 모습에 오택수가 한숨을 내쉬며 일어선다.

"하아, 이 자식은 대체 그동안 뭘 배운 건지. 야, 비켜."

"배운 대로 하고 있거든요?!"

일단 그 앞을 지나는 사람들 중 누가 봐도 가수로 보이는 이들을 제외하고, 그 가수와 나란히 움직인 스태프도 제외한다.

그리고 나머지만을 추린다.

"배달부, 소속 가수의 동선에서 어긋나는 스태프, 대기실로 몸을 트는 모든 이들을 추려서 각자 동선을 따로 추적하고 있다고요! 그런데 아무것도 안 나온다고요! 아무것도!"

"……그게 말이 돼?"

"못 믿겠으면 당신이 찾아보든지!"

"그래. 맞먹어라, 새꺄. 맞먹어."

"악! 악! 왜 때려! 나도 이젠 못 참아! 옥상으로…….'"

빠악!

"따라가면? 따라가면 어쩔 건데, 시캬!"

"그래! 오늘 끝장을 보자!"

최재수는 오택수의 멱살을 잡으며 바닥을 굴렀고, 종혁은 또 새는 바가지에 고개를 저으며 CCTV 화면을 살폈다.

'확실히 문이 열린 정황이 없네…….'

약간은 어두운 복도.

불이 환하게 켜진 대기실의 문이 열렸다면 음영의 차이가 발생해야 되는데 SN5가 다시 대기실로 복귀할 때까지 대기실의 문은 열리지 않았다.

아니, 딱 한 번 있긴 하다.

"야, 최재수."

"네?"

그사이 뭘 어떻게 얻어맞았는지 눈물을 줄줄 흘리는 최재수의 모습에 종혁은 모니터를 가리켰다.

"얘들 이름이 뭐냐?"

SN5와 스태프들이 막 떠난 직후 인사를 하러 온 듯 대기실에 들어갔다가 약 10초 후 빠져나온 남자아이돌 그룹.

"얘들 용의선상에 올라 있지?"

"아, 예!"

같은 날 무대에 오른 가수이기에 저 후순위로 밀려났지만 말이다.

"걔들 이름이······."

＊　＊　＊

－오늘 저희 고대식육점이 오픈을 맞아 가요계를 끌고 가겠다는 아이돌 그룹 렉카······.

"예에? 지갑이요?"

오늘 오픈을 한 어느 식육점에 팬 사인회를 하러 온 5인조 보이그룹 렉카와 그 매니저가 화들짝 놀란다.

"예. 최상민 씨의 지갑이 도난되어 그 시각 대기실을 들른 사람들을 조사 중이니 협조 부탁드리겠습니다."

"아니, 저희 애들이 최상민 씨 지갑을 왜 훔친단 말입니까! 우리 애들이 뭐가 부족해서!"

데뷔한 지 고작 6개월 만에 음원 순위가 무려 82위다.

거기다 사장은 대형 기획사의 실장까지 지낸 인물로, 이 바닥 잔뼈가 굵고 렉카를 음악방송에 출현시킬 만큼 인맥도 좋다.

지금 팬 사인회도 사장이 인맥으로 가져온 스케줄.

즉, 이제 승승장구할 일만 남았다는 뜻이었다.

종혁은 그런 그들의 항변에 그들이 타고 있는, 도로가에 세워진 허름한 승합차를 보며 피식 웃었다.

"부족한 게 많아 보이는데요."

"무, 물론 좀 그렇기는 하지만…… 얘! 얘 아버지가 누 군지 아십니까?!"

연매출 50억대의 중소기업 사장이다.

"얘는 어머니가 검찰청에서 일하시고요!"

"검사요? 성함이?"

"아뇨, 뭐 사무관으로 일하시지만…… 아무튼! 다 금전 적으로 부족함 없이 살아온 애들이란 말입니다!"

'확실히 그래 보이네.'

딱히 아이돌로 성공할 외모는 아닌 것 같지만, 그래도 잘 먹고 자란 티가 난다.

"그럼 왜 아무도 없는 대기실 안으로 들어갔던 겁니까?"

종혁의 그 질문에 매니저와 렉카들의 몸이 덜컥하고 굳 는다.

"호오?"

"그, 그게……."

"SN5니까요!"

"음?"

"경찰 아저씨는 경찰이니까 잘 모르시겠지만, 저희 같 은 신인들에게 SN5 선배님들은 정말 대단하신 분들이거 든요?!"

"네! 제가 SN5 때문에 아이돌 된 거예요!"

춤과 노래 연습도 SN5 걸로 연습했다.

"그래서! 그래서……."

격렬하게 화를 내던 렉카들이 갑자기 얼굴을 붉힌다.

"SN5 선배님들이 내뱉은 공기라도 맡으려고……."

"야! 내가 그래서 하지 말랬잖아!"

"아오씨!"

'어이구.'

일단 거짓말인 것 같지는 않다. 이들이 보내는 신체적인 반응들이 진실임을 말하고 있다.

"아니, 그래도 남자가……."

할 말이 참 많지만, 자기 분야에서 성공하고 싶은 사람들에게 무슨 말을 할 수 있을까.

"후. 알겠습니다. 그래도 다음부터는 조심해 주세요. 자칫 이번처럼 범죄자로 몰릴 수 있으니까."

"죄송합니다……."

"저한테 죄송할 건 아니고요."

"렉카차! 렉카차인지 렉카는 어디 갔어!"

"예! 갑니다! 애들아, 얼른 가!"

"네! 안녕히 계세요!"

종혁은 승합차에 남은 매니저를 보며 고개를 숙였다.

"그럼 협조해 주셔서 감사합니다. 그래도 용의선상에서 벗어난 건 아니니 어딜 가시면 꼭 말해 주시고요."

"예, 예. 얼른 범인을 잡길 바랍니다."

"감사합니다."

몸을 돌린 종혁은 눈빛을 가라앉혔다.

'애들이 아니라면 답은 하난데…….'

내부인. SN5의 멤버나 스태프들 중 이번 일을 저지른 안티가 있는 거다.

"또 가면 김수만이랑 김경수 그 양반들 심장 잡고 쓰러질 텐데…… 음? 아, 매니저님."

"예?"

"렉카의 스태프는 매니저님이 전부인가 봅니다?"

생각해 보니 아이돌 가수라면, 연예인이라면 무조건 있어야 하는 존재가 없다.

"아, 그게 코디가 한 명 있긴 한데 아직 출근을 안 했습니다."

"그래요? 알겠습……."

지이잉! 지이잉!

종혁은 갑자기 울리기 시작한 매니저의 핸드폰에 얼른 전화를 받으라고 손짓하며 몸을 돌렸다.

"박 코디, 너 지금 어디야! 말도 없이 결근을 하면 어떻…… 뭐?! 아니, 야! 관둔다니! 아니, 박 코디! 지현아, 어제까지 괜찮았잖아. 응?"

멈칫!

"호오?"

종혁은 눈을 가늘게 뜨며 매니저를 응시했다.

*　*　*

"하, 더워."

"그늘에 있어도 덥네. 이 여름은 대체 언제 끝나는 거야?"

"그럼 우리 방학도 끝나."

"우리가 언제 방학 같은 거 따졌어?"

"그건 맞지."

어느 아파트 앞, 놀이터.

교복을 입거나 반팔, 반바지를 입은 여학생들이 나무 그늘 아래서 더위를 피하면서 아파트의 한 집을 뚫어져라 쳐다보고, 연세가 지긋한 경비가 그런 그들을 스쳐 지나간다.

"쯧쯧쯧. 더위 먹기 전에 얼른 집에 돌아가라, 이것들아!"

DYP인지 뭔지 하는 회사에 소속된 웬 남자 가수 놈들이 이 아파트에 온 이후 찾아오기 시작한 여학생들.

어르고 달래고 화를 내 보기도 했지만, 그때뿐이라 이 아파트의 경비들도 모두 포기한 상태다.

참 못된 아이들이지만, 모두 손녀뻘이라 이 더운 날 헛고생하는 게 마음에 쓰여 한 소리를 했던 경비는 혀를 차며 멀어졌고 여학생들은 얼굴을 구겼다.

"뭐래. 영감탱이가."

"아, 짱나."

투덜거리면서도 늙은 경비가 무서워 큰소리를 내지 못하는 소녀들.

그때 통이 넓은 7부 청바지와 화려한 형광색의 오버사이즈 티셔츠, 목걸이 줄에 패셔너블한 모자까지, 소위 김윤희 패션을 한 통통한 체구의 소녀가 그녀들을 향해 다가섰다.

"호호. 너흰 아직도 그렇게 후줄근하게 다니니?"

"어?! 지현 언니!"

"이것 좀 마시면서 해."

"와아!"

그녀들은 소녀, 박지현이 내미는 봉지 속 아이스크림에 환호성을 지른다. 하지만 모두 기뻐하는 건 아니었다.

"어머, 지현아. 너 스타일 많이 변했다? 솔직히 몰라봤잖아."

얼짱 김윤희 패션을 한 또래의 여성이 다가오자 박지현이 눈을 빛낸다.

"김소연."

오빠들을 너무 사랑한 나머지 집 앞에서 대기하는 팬들 중 한 무리를 이끄는 김소연.

"와, 쌍꺼풀도 집은 거야? 설마 우리 오빠들 버리고 연애하는 거니? 그런데…… 너무 티 난다, 얘."

"어머. 짭같이 보여? 하긴 만날 짭만 입고 다니는 네 눈에는 다 그렇게 보이겠지."

"뭐야?!"

그들이 좋아하는 보이그룹의 멤버 숫자는 총 다섯.

그중 박지현과 김소연은 한 멤버를 좋아하기에 이렇게 날을 세울 수밖에 없었다.

"자, 이래도 짭 같니?"

박지현은 오는 길에 샀던 원피스와 구두 영수증을 보여 주었고, 그걸 본 김소연의 눈이 파르르 떨린다. 그건 그녀와 함께 온 다른 소녀들도 마찬가지다.

총액이 무려 230만 원. 그녀들로서는 감히 꿈도 꿀 수 없는 거금이었다.

"……호호. 그랬구나. 오빠들에게 예쁘게 보이고 싶어서 그동안 알바했구나. 몸 팔았니?"

움찔!

'이년이?!'

울컥했던 박지현은 이내 푸근히 웃었다.

"어머. 내가 아이돌 그룹 데리고 다니면서 우리 현중 오빠 만난 건 몰랐나 보네?"

"아, 맞아. 렉카차인지 렉카인지 코디로 방송국 들어갔다는 소식은 들었어. 그런데 코디 월급으로 그런 걸 살 수는 있는 거니?"

"풉! 소연아, 지금 너 추해. 왜? 넌 평생 가도 못 살 옷을 입고 오니 쫄려? 내가 현중 오빠 사랑 독차지할까 봐?"

"야!"

"왜!"

"이익!"

김소연은 박지현의 머리를 쥐어뜯고 싶었지만, 그럴 수가 없었다. 중저가 브랜드인 자신과는 너무도 다른 차원의 명품들.

거기에 기가 눌린 김소연은 부들부들 떨다가 콧방귀를 뀌며 돌아섰고, 박지현은 주먹을 불끈 쥐었다.

그래. 이것이다.

이 모습을 보기 위해, 오빠들이 아닌 다른 아이돌 그룹의 옷을 골라 주는 치욕을 참아 냈던 거다.

그동안 중저가 브랜드지만, 자신들은 엄두도 못 내는 가격대의 옷을 입고 다니며 같은 처지의 팬들을 업신여겼던 김소연.

거지들 사이에서 유일하게 비싼 옷을 입어서 그런지 현중 오빠의 시선을 제법 받았고, 박지현은 그게 얼마나 부러웠는지 모른다.

"이제 옷 가지고 재는 건 끝이다, 이년아."

'오빠의 시선도 이제 내 차지라고!'

"와아, 언니 짱!"

"저 소연 언니를 뭉개다니……. 진짜 멋져요. 언니."

선망이 가득한 소녀들의 모습에 박지현의 콧대가 절로 솟는다.

'이래서 쟤가 패거리를 데리고 다니는구나?'

마치 몽롱하고 붕 뜬 것 같은 기분에 그녀의 미소가 커진다.

하지만 그것도 잠시.

"언니, 그럼 그동안 SN5 까는 건 관두셨던 거예요? 안티카페도 문 닫으셨어요?"

소위 사생이면서 극성 안티이기도 한 그녀는 회원수 만

명의 대형 안티카페의 카페장이기도 했다.

즉, 박지현은 하루의 반은 좋아하는 아이돌 그룹의 뒤를 쫓고, 나머지 반은 SN5를 욕하는 데 썼었다.

"내가? 미쳤니?"

겨우 1, 2년 일찍, 그것도 소속사 지원 다 받아서 데뷔해 성공한 거 가지고 선배니 어쩌니 하는 게 얼마나 눈꼴시었던가.

거기다 방송에선 자신의 오빠들과 SN5를 라이벌 구도로 만들기에 더 기분이 더러웠다.

SN5에게 악의가 가득 담긴 편지와 선물을 보내는 것으로 SN5의 기분이 더러워지고 컨디션이 나빠져, 애정하는 오빠들이 더 잘나 보일 수 있다면 하루 수백, 수천 통이라도 보낼 수 있었다.

"그럼 난 이제 올라가 볼게. 오빠들한테 선물을 전해 줘야 하거든. 그럼 좀 있다가 보자?"

웃음을 흘린 박지현은 아파트의 입구로 걸어갔다.

"어? 어? 잠깐, 아가씨!"

"806호에 놀러 왔어요."

"806호? 으음…… 방금 저 잡것들과 이야기를 나누는 것 같던디……. 낯짝도 굉장히 익숙허고…….

너도 저 사생들과 같은 부류 아니냐는 경비원의 의심 가득한 시선에 박지현은 한껏 불쾌한 표정을 지었다.

"오랜만에 친구 집에 놀러 왔는데, 웬 이상한 애들이 있기에 한 소리 했어요. 왜요? 그런데 여긴 경비가 친구

만나러 오는 사람도 막나 봐요? 이거 불편해서 친구 집 오겠어요?"

"아, 아닙니다. 들어가세요잉."

"네, 수고하세요."

고개를 모로 기울이며 자리에 앉는 경비를 일견하며 돌아선 박지현의 입이 좌우로 주욱 찢어진다.

'뚫었다!'

드디어 뚫었다. 이렇게 쉽게 뚫릴 것을 그동안 왜 그렇게 추위와 더위에 떨었는지 몰랐다.

띵!

8층에 멈춰 선 엘리베이터에서 내린 그녀는 계단으로 10층까지 올라갔다.

"후아."

1006호 앞에 서며 잠시 숨을 고르는 그녀.

드디어 사랑하는 오빠를 만난다는 생각에, 그 숨결을 코앞에서 느낄 수 있다는 생각에 거칠게 뛰는 심장을 다독인 그녀는 조심스레 벨을 눌렀다.

띵동!

─누구세요?

"안녕하세요. 아랫집 사람인데, 해도 해도 너무한 거 아니에요? 맨날 저녁, 새벽 가리지 않고 쿵쾅쿵쾅! 방금도 쿵쾅쿵쾅! 사과 좀 듣고 싶으니까 문 좀 열어 봐요!"

─흭! 네, 네! 잠시만요? 리더 형!

'현중 오빠!'

이 그룹의 리더, 강현중. '현중♡부인'이 아이디인 그녀가 사랑하는 사람이다.

그녀의 다시 심장이 거칠게 뛰고 숨이 거칠어진다.

그렇게 영원 같던 찰나가 지나며 문이 열리자 박지현의 눈이 동그래진다.

처음이다. 이렇게 가까운 거리에서, 얼굴만 내밀어도 입술이 닿을 거리에서 오빠를 보게 된 건.

오빠의 오똑한 코, 오빠의 사슴 같은 눈, 오빠의 달콤한 숨결, 그리고 오빠의 매력 가득한 목소리.

"죄, 죄송합니다. 저희가 좀 더 조심하겠……."

"오빠!"

결국 참지 못한 박지현은 강현중을 와락 껴안았고, 눈을 부릅떴던 강현중의 낯빛이 파랗게 질린다.

"으아아악!"

공포에 질린 외침이 아파트를 쩌렁쩌렁하게 울렸다.

\* \* \*

해가 모두 저문 저녁.

어느 주택가에 들어선 박지현이 히죽 웃는다.

"히히히."

다시 오빠를 껴안았다. 그것도 쉽게 보기 힘든 생얼 상태인 현중 오빠를.

그 단단한 가슴과 아찔했던 체취.

비록 현중이 뿌리치기도 하고, 지난 두 달간 고생을 한 목적을 모두 이뤄 도망치듯 빠져나와 좀 아쉽기는 했지만 모두 만족스럽다.

"이제 현중 오빠는 날 절대 잊을 수 없겠지."

오늘 깜짝 선물을 주기도 했고, 자신을 진짜 사랑해 주는 여자의 몸도 알게 해 줬으니 현중은 아마 평생토록 자신을 잊을 수 없을 거다.

"오늘부터 내가 보고 싶어 잠을 설치겠지. 그건 나도 마찬가지지만…… 하아."

지이잉!

달뜬 신음을 내던 그녀는 자신을 방해하는 문자 알림에 핸드폰을 열어 보았다가 얼굴을 구겼다.

ㅡ딸, 일은 잘하고 있는 거지? 밥은 먹었어? 날이 많이 더워. 꼭 에어컨 근처에 있고. 엄마가 돈이 있었다면 우리 딸 이렇게 고생하지 않았을 텐데. 미안해. 사랑해.

"……지긋지긋해."

핸드폰을 닫은 그녀는 잠시 하늘을 봤다.

"독립할까?"

공부 따윈 옛 저녁에 때려 치고 공부했던 코디.

모두 현중 오빠를 자주 만나기 위해서였지만, 렉카의 매니저가 매달리는 것을 보니 아무래도 자신에게 재주가 있는 것 같다.

"그래. 독립하자."

연예계 일을 하다 보면 현중 오빠를 더 자주 만나게 될 터.

"그러다 나중에 오빠 코디로 들어가서 친해지고 결국 결혼을 하는 거야!"

팬픽에서도 코디로 일하던 여주가 애정하는 오빠랑 결혼하지 않던가.

온몸에 소름이 돋을 만큼 전율이 흐르는 계획이었다.

"그래! 이제부터 제대로 일해 보는 거야!"

다른 돈벌이 수단도 있으니 금세 부자가 될 거다.

그럼 이 구질구질한 인생도 안녕이었다. 이 한여름에도 에어컨 살 돈이 없어 무더위 열대야에 고생하는 삶은 말이다.

그렇게 박지현이 행복의 단꿈에 젖는 순간이었다.

"박지현 양?"

"누, 누구세요?!"

갑자기 전봇대 그림자 뒤에서 걸어 나오는 거대한 사내의 모습에 박지현은 한 발 크게 물러선다.

종혁은 그런 그녀를 보며 입술을 비틀었다.

"누구긴 누구겠어. 경찰이지."

심장이 철렁 내려앉은 박지현의 얼굴이 하얗게 질린다.

"내가 왜 왔는지 알지?"

알다 뿐일까.

'대, 대체 어떻게 안 거지?'

하지만 지금 그게 문제가 아니다. 일단 도망쳐야 했다.

박지현은 주춤주춤 물러나다 그대로 돌아섰고, 종혁은 그런 그녀의 머리카락을 꽉 움켜쥐었다.

콰득!

두피가 찢어지는 듯한 아득한 고통.

"아악! 꺄아악!"

"그래, 알아야지. 야, 우리 할 이야기가 참 많겠다. 그치? 박지현, 너를 최상민 씨 상해 혐의 및 절도 혐의로 체포한다. 넌……."

미란다 원칙을 읊기 시작한 종혁은 손으로 휘감은 머리카락을 이리저리 흔들며 키득키득 웃었다.

\* \* \*

"형사님!"

종혁의 사무실 안으로 최상민이 헐레벌떡 뛰어 들어온다.

그런 그의 목소리를 듣자마자 흠칫 놀라 고개를 돌리는 박지현.

몸을 일으킨 종혁이 최상민을 맞이한다.

"쟤, 쟤가……."

스무 살도 안 되어 보이는 소녀가 정말 자신에게 피를 먹인 안티일까.

"일단 정황상 그렇게 판단되고 있습니다."

최상민이 가져온 보온병에서 나온 지문과 박지현의 지

문이 일치했다.

정황 증거상 그녀가 범인이 확실했다.

"익!"

울컥한 최상민은 박지현을 향해 걸음을 옮기려다 멈췄다.

"이익!"

참 때려 주고 싶었다.

왜 이렇게 날 괴롭히냐고, 대체 내가 무슨 잘못을 했냐고 멱살을 잡고 묻고 싶었다.

하지만 막냇동생 또래의 소녀를 보니 차마 그럴 수가 없다.

꽉 쥐어졌던 최상민의 주먹에서 결국 힘이 빠져 버린다.

"그래요. 잘 참으셨습니다."

"후우. 감사합니다. 감사…… 흑!"

수많은 안티 중 한 명이지만, 그동안 누가 누군지 알 수조차 없었던 안티. 이제야 안티가 진짜 현실의 사람인 걸 알게 되니 뭔가 형언할 수 없는 감정이 솟는다.

그리고 그다음으로 찾아온 건 안심이다.

이제 최소한 저 한 명은 날 괴롭히지 않겠구나.

그런 안도감이 그의 눈에 눈물을 채운다.

종혁은 그런 그에게 그동안 고생했다고 어깨를 두드리며 나지막하게 속삭였다.

"곧 중앙지검 특수부에서 저 용의자를 시작으로 대대적인 안티 및 사생 박멸에 나설 겁니다."

"네?!"

고개를 번쩍 든 그의 모습에 종혁은 약간 난처한 표정을 지었다.

"그런데 그러려면 상민 씨의 피해 사실을⋯⋯."

"할게요. 뭐든 다 말할게요."

"⋯⋯협조 감사합니다. 사건이 종료되면 연락드릴 테니 오늘은 이만 돌아가셔서 한잔하시고 푹 주무세요. 내일 하루는 휴가를 줄 수 있죠, 매니저님?"

"예, 예! 그렇게 하겠습니다! 가자, 상민아. 이런 곳에 오래 있어 봤자 안 좋아."

"⋯⋯감사합니다. 정말 감사합니다. 흐윽! 흐으윽!"

안티와 사생이 박멸된단다.

최상민은 끝내 눈물을 쏟아 내면서도 연신 허리를 숙이며 사무실을 떠났고, 곧이어 음식 냄새를 가득 풍기는 중년 여성이 사무실로 들어온다.

"지현아!"

그 외침에 다시 놀랐다가 방금 전처럼 시선을 피하는 박지현.

"아이고, 지현아! 이게 대체 무슨 일이야!"

종혁은 최재수에게 시선을 주었고, 최재수는 몸을 일으켜 박지현의 모친을 막아섰다.

"안녕하세요, 어머니."

"저, 저희 딸이 대체 무슨 죄를 저지른 건가요? 아니요! 모두 제가 한 겁니다, 제가! 그러니까 처벌을 하시려거든 저를……!"

"일단 진정하시고 이쪽으로 오시겠어요?"

그렇게 최재수가 중년 여성을 사무실 한쪽의 소파로 데려가자 종혁은 그제야 박지현을 향해 입을 열었다.

"자, 이제 보호자도 오셨으니 본격적으로 조사를 시작하겠습니다. 일단 박지현 씨는 현재 최상민 씨에 관한 상해 혐의와 절도 혐의로 임의동행된 겁니다."

거기다 방금 전 일산 경찰서에 접수된 신고가 있는데, DYP엔터테인먼트에서 런칭한 보이그룹의 리더가 사생에게 크게 당했다고 한다. 그 범인의 인상착의가 박지현과 굉장히 흡사했다.

"어차피 이미 정황 증거도 다 나온 상황이니 좋게 끝냅시다. 그렇지 않으면 저도 지금까지 잡아들인 다른 범죄자들과 똑같이 취급할 수밖에 없습니다. 그러길 원하진 않으시죠?"

섬뜩!

차갑기 그지없는 눈에 박지현이 그대로 얼어붙는다.

아득한 공포가 그녀의 심장을 옥죄며 후회란 감정을 샘솟게 한다.

대체 왜 그랬을까. 내가 왜 그랬을까.

세상에 맨몸으로 던져진, 이제야 세상의 쓴맛을 제대로 맛본 박지현은 아이가 되어 버렸다.

"자, 잘못했어요, 경찰 아저씨. 제가 잘못…….."

"그래. 잘 알아들은 것 같네. 이름."

"바, 박지현이요."

"나이랑 주민번호."

"열아홉 살이요. 주민번호는……."

종혁은 한숨을 내쉬었다.

'이렇게 될 거면서 왜 그딴 짓을 하고 다니는지…….'

이렇게 겁을 먹은 이유가 뭐겠는가.

자신이 범죄를 저지르고 있다는 걸 알면서도 범죄를 저질렀다는 거다. 그래서 더 짜증이 난다.

'그런데 얜 대체 뭔 돈이 있어서 이런 옷을 산 거지?'

작은 의문이 떠올랐지만, 종혁은 일단 그걸 뒤로 미뤄 놓았다.

"말해 봐. 네가 어떻게 SN5의 대기실에 들어갈 수 있었고, 그러기 위해 뭘 했는지 모두 다. 아, 그 전에 여기다 네가 인터넷에서 쓰는 아이디랑 비밀번호 적고. 활동하는 사이트도. 다 알고 있으니까 하나라도 빼먹으면 진짜 혼난다."

모두 파악했다는 말에 화들짝 놀란 박지현은 심각하게 갈등하다가 결국 아이디와 비밀번호, 활동하는 사이트를 모두 적었다. 자신이 만든 안티카페까지도 말이다.

"그, 그게……."

박지현은 떠듬떠듬 다 말했고, 그걸 들은 종혁과 오택수는 어이없다는 듯 웃었다. 본인의 입으로 들으니 더 어이가 없었다.

좋아하는 가수를 위해 배달부나 스태프로 위장을 한다는 건 들었어도 안티 짓을 하기 위해 진짜 취직을 하다니.

"어? 야, 최 팀장. 잠깐."

종혁이 넘겨준 박지현의 아이디로 박지현이 말한 사이트들에 접속하던 오택수는 어이없다는 듯 종혁을 봤고, 그걸 본 종혁은 이를 악물었다.

─죽어라.
─죽여 버리고 싶다.
─이렇게 죽이는 건 어떨까?

박지현이 작성한 게시글 안에는 세상 모든 악의가 담겨 있는 듯했다.

쾅!

책상을 내려친 종혁은 와락 얼굴을 구겼다.

"후. 야. 너 진짜 안 되겠다."

"네, 네?!"

"박지현, 넌 최상민 씨 등 SN5에 관한 살해 협박, 명예 훼손죄, 범죄 모의도 추가다. 범죄단체결성 혐의는 차차 검토하고."

방금 전 종혁이 말한 죄목이 뭔지는 모르겠지만, 정말 엿됐음을 직감한 박지현의 얼굴이 공포에 질리기 시작했다.

\* \* \*

충격! SN5의 리더 최상민, 안티에게 테러 당해!

병원에서 에이즈 검사를 받은 최상민! 난 피를 마셨다!

발 빠르게 움직인 경찰! 신고 이틀 만에 최상민 테러범 붙잡아!

최상민 테러범, 초대형 안티카페의 카페장?!

JC엔터테인먼트 사생팬과 안티팬에 대하여 입장 밝혀!

JYK엔터테인먼트도 동참! 소속 아티스트 전부 피해 입어!

연예계, 사생과 안티에 대해 입을 열다!

장난? NO! 죽어라 던진 돌에 정말 죽는 연예인들!

충격! 또 충격! 안티도 팬이라는 말은 옛말.

검찰, 도저히 좌시할 수 없다. 안티, 사생팬과의 전쟁 선포!

서울중앙지검 특수부, 칼을 빼 들다!


종혁이 던진 박지현이라는 작은 돌은 연예계와 대한민국에 큰 파장을 일으켰다.

그동안 안티와 사생도 팬이라고 애써 무시하던, 괜히 고소했다가는 어떤 피해를 입을지 모르기에 억지로 참아왔던 연예인들이 JC와 JYK가 선봉에 서자 모두 일어섰고, 하루에도 수천 건의 고소장이 검찰로 쏟아졌다.

이에 상황이 더 심각하다고 판단한 검찰은 특수부 검사들을 차출해 특별수사본부를 조직하였고, 공포에 질린 사생들과 안티들이 '우린 그저 사랑했을 뿐이다, 장난이었다'라고 외치며 동정표를 얻으려 했으나 이들을 동정하는 사람은 단 한 명도 없었다.

같은 팬클럽 회원도, 안티카페 회원도 모두 그들에게서 등을 돌렸다.

차마 눈을 뜨고 쳐다볼 수도 없는 피해 사실들 때문이다.

동물의 대변은 예사고, 혈서는 기본 옵션.

심지어 정액과 애액이 묻은 속옷이 배달됐다는 소식에 여태까지 안티와 사생이라고 해 봤자 그저 장난 식으로 괴롭히고 마는 것이겠거니 안일하게 하던 국민들은 뒤집 어질 수밖에 없었다.


한편 구치소 안.

갈색 죄수복을 입은 채 구석에 구겨져 있는 박지현이 입술을 깨문다.

대체 어쩌다 이렇게 됐을까.

난 왜 이런 곳에 있을까.

'나, 난 그저…….'

현중 오빠를 위해 SN5를 좀 괴롭혔을 뿐이다. 남들 다 하는 일이기에 자신도 했을 뿐이다.

'그런데…… 그런데 왜…….'

뭐라뭐라 물어보더니 바로 중앙지검이라는 검찰로 넘 겨 버린 형사. 알아듣지 못할 사투리로 뭐라뭐라 물어보 더니 여기에 가둬 버린 검사.

자신이 잘못한 게 있다면 그저 그들이 묻는 것에 대답

을 한 것뿐이었다.

그런데 왜 이렇게 무섭고 숨 막히는 공간에 있어야 하는 걸까. 그것도 이런 곳에 갇혀 있음에도 웃는 저 언니들과 함께.

"호호호호호!"

"꺄르르르르!"

대체 저들은 뭐가 그렇게 좋아서 웃는 걸까.

무섭지도 않은 걸까.

저들이 같은 나이거나 어리다는 걸 깨닫지 못한 박지현은 양 귀를 막으며 눈물을 흘렸다.

"엄마…… 흑!"

여태까지 참 한심한 인생을 산다고 욕했던 엄마가 보고 싶다.

엄마랑 함께 집에 가서 씻고, 엄마가 아주 가끔씩 사오는 치킨을 먹고, 잠을 자고 싶다.

박지현은 이제야 엄마가 보고 싶었다.

세상에서 오직 내 편인 엄마를.

"야, 너 걔지?"

흠칫!

박지현은 이쪽을 보는 미결수들의 시선에 화들짝 놀랐다.

"저, 저요?"

"그래, 너! SN5 최상민한테 닭 피를 먹였다는 개! SN5 안티카페 카페장!"

박지현의 눈이 동그래진다.

"뭐야, 저 찌질이 빠순이였어?"

이곳에 입소된 지 6일이 지났음에도 아직까지 통성명 한 번 안 한 채 질질 짜기나 하는 찌질이.

박지현은 빠순이란 말에 순간 울컥했지만, 너무 무서워 서 입을 다물 수밖에 없었다.

"아, 그럼 잘해 봐야 6호 처분이겠네. 나가리되어 봐야 8호? 쩝, 부럽다."

'6호?'

박지현의 귀가 쫑긋 솟자 박지현에게 말을 걸었던 소녀 가 입술을 비튼다.

"6호, 소년보호시설에 6개월 송치. 8호, 소년원 1개월 송치."

전자는 그래도 민간 시설에서 바깥의 공기를 맡으며 살 수 있고, 후자는 감옥에서 한 달 동안 사는 거다.

"아, 아닌데……."

무슨무슨 죄로 구속되는 거라고 검사가 말해 줬지만 지 금 생각나는 건 명예훼손과 범죄단체결성이다.

"뭐? 범죄단체결성?"

"푸하하하핫!"

"아하하하핫!"

박지현은 비웃는 듯한 그들의 모습에 기분이 상했지 만, 역시 무서워 말을 꺼내지 못했다.

그런 그녀에게 말을 건 소녀가 다가와 어깨동무를 한다.

"야, 이 멍청아. 너 범죄단체결성이 뭔지 알아? 그거 조폭을 말하는 거야. 너 조폭이야? 누굴 때렸어?"

"아, 아니?! 아닌데요?!"

"그런데 어떻게 범죄단체결성이 성립돼? 거기다 너 미성년자잖아. 미성년자는 진짜 아다리 안 맞아 봐야 10호 처분이야. 소년원에서 2년만 썩으면 된다고."

그런데 그건 거의 피해자를 사망에 이르게 할 정도로 패거나 괴롭히는 애들을 데려다 포주 짓을 했을 때나 가능한 이야기다.

박지현에게는 해당 사항이 없었다.

움찔!

"네? 저, 정말요? 그 말 진짜예요?!

확 밝아지는 박지현의 얼굴.

하지만 이내 그녀의 얼굴은 다시 어두워졌다.

"하, 하지만 그 경찰이…… 검사가……."

"야, 검사는 그냥 구형을 하는 사람이야. 검사가 아무리 지랄을 해도 판결은 판사가 내리는 거라고. 그냥 판사한테 반성문 몇 장 쓰면 돼."

"……흑!"

순간 탁 풀려 버리는 마음에 박지현의 눈에 다시 눈물이 차오른다.

그때였다.

"668번, 면회다."

"야, 너."

"저, 저요?"

"그래, 668번. 나와."

'엄마?'

오늘도 아침에도 다녀간 엄마.

또 먹을 걸 싸 온 건가 박지현은 작은 기대를 하며 교도관의 뒤를 따라 접견 장소로 향했다.

"들어가."

"네……."

'아, 엄마한테 말해 줘야겠다!'

박지현은 입에 한가득 미소를 달고 접견실로 들어갔다가 그대로 굳어 버렸다.

"호?"

종혁은 미소를 짓는 박지현을 보곤 눈을 가늘게 떴다.

"살 만한가 보다? 아니면 안에서 뭔 헛소리를 들었거나."

종혁은 어떻게 알았냐는 듯 쳐다보는 그녀의 모습에 피식 웃었다.

'이럴 줄 알았지.'

헛된 희망을 가질 거라고 예상했다. 구치소에 들어오는 놈들 대부분 자기들이 법학박사라고 생각하기 때문이다.

"어쩜 이렇게 예상을 빗나가지 않는 건지……. 봐요. 내가 이럴 거라고 했죠?"

종혁은 손을 까딱였고, 종혁의 옆에 있던 강철선이 어이없다는 듯 웃으며 지갑을 빼 들었다.

"쯧. 잘 쓰래이."

"잘 먹겠습니다!"

고개를 꾸벅 숙인 종혁은 다시 박지현을 보며 입술을 비틀었다.

"야, 꿈 깨."

집안 형편이 넉넉한 것도 아닌 박지현이 고작 두 달 코디 일을 한 것치고 걸친 것들이 너무 고가라 추궁을 해봤더니 그녀가 실토한 내용은 매우 놀라웠다.

그동안 SN5의 대기실에 여러 차례 침입했던 그녀는 그때마다 그곳에서 SN5 멤버의 물건들을 훔쳐다가 팔았다. 그리고 그 돈을 스스로를 치창하는 데 쓴 것이다.

단순히 마냥 싫다는 감정만으로 안티카페를 만들고 테러를 벌였어도 심각한 범죄인데, 돈을 목적으로 범죄까지 저질렀다.

이제 박지현은 더 이상 철없는 십대가 아니라 중범죄를 저지른 범죄자였다.

여기에 안티카페 내에서 토의 된 범죄 모의 중 현실로 실현된 게 있기에 범죄단체결성까지 적용.

"야, 넌 잘해도 10년이야."

박지현이 카페장이기에 미성년자임을 감안한다고 해도 이 정도 형량이 나올 거다.

범죄단체결성죄, 아니 정확히 범죄단체조직죄는 그만큼 중한 범죄였다.

"아, 아니거든요! 전 잘해야 8호 처분이라고 했거든요! 검사님이 아무리 10년, 15년 해도 판결을 내리는 건 판사님이라고 했거든요!"

종혁은 입을 떡 벌렸다.

"푸핫! 그렇다는데요, 검사님?"

"……쯧. 치킨 사느라 생돈만 나갔데이."

앞으로 최소 10년은 못 먹을 치킨.

미성년자에겐 너무 가혹한 처벌이라 비록 악질이어도 치킨 맛을 보게 해 주려고 했건만 쓸데없는 일이 되어 버렸다.

'멍청한 것.'

멍청해도 이렇게 멍청할 수 있을까.

차라리 간절히 무릎 꿇고 빌었다면 감형의 여지라도 있었을 텐데, 혹시나 마음이 흔들린 강철선이 감형된 형량을 구형했을지도 모르는데 이젠 그 기회마저도 사라져 버렸다.

거기다 그녀는 첫 케이스다.

지금 이 순간에도 검거되고 있는 안티와 사생팬들의 처벌 수위를 판가름할 첫 번째 케이스.

또 거기다 중앙지검의 특수부가 작정하고 달려든 일이다. 언론이 주목하고 있으니 진심으로 임할 수밖에 없다.

'이래서 무지는 죄라고 하는 건가.'

"그래, 계속 그렇게 믿고 있어라. 그럼 이 아저씨는 간다."

"흥!"

콧방귀를 뀌는 박지현을 뒤로하며 접견실을 나선 종혁은 씁쓸히 웃으며 담배를 무는 강철선에게 불을 붙여 주었다.

"어떡하실래요?"

"어떡하긴 뭘 어떡하겠노. 원래대로 해야지."

원래는 그녀가 미성년자이기에 10년만 구형하려고 했다. 최상민을 정말 죽이려 한 것도 아니고, 생활용품 몇 개 훔친 것뿐이니까.

물론 그조차도 악질이라 10년을 구형하려고 했지만, 이렇게 반성하는 기미가 없다면 이야기가 달라질 수밖에 없었다.

"그나저나 니도 참 독하데이."

오늘 면회를 가 보자고 조른 종혁. 결국 이런 모습을 보여 주기 위해서였던 것이다.

피식 웃은 종혁은 담배를 물었다.

"전 그저 기회를 준겁니다."

자신의 죄를 반성을 할 수 있는 기회.

하지만 박지현은 그 기회를 멋지게 걷어찼다. 이제 그녀에게 남은 건 파멸뿐이었다.

"가시죠. 덥습니다."

살짝 맥이 빠진 대답을 하던 강철선이 돌연 눈을 빛낸다.

"아, 돌아가믄서 팥빙수 어떻노? 생각해 보이까 올 여름엔 팥빙수 한번 못 먹어 본 것 같데이."

"팥빙수 좋죠. 검사님이 사시는 거죠?"

"방금 돈 땄다 아이가! 셈도 못할 만큼 부자인 자슥이 개미 똥구멍만큼 버는 공무원한테 얻어먹고 싶드나!"

"우리 아버님이 어머님 몰래 차신 뒷주머니가 몇 개더라……."

"팥은 곱빼기가 좋겠제?"

종혁과 강철선은 키득키득 웃으며 구치소를 빠져나갔다.

어느덧 9월. 여름이 마지막 발악을 하고 있었다.

* * *

"범행 수법이 너무 악질적임에도 피해자에게 진심 어린 사과를 하지 않는 등 반성의 기미가 보이지 않는 바, 피고 박지현에게 징역 16년 형을 선고한다."

"우와왁!"

"지현아-! 안 돼, 지현아!"

"부장님! 특보입니다, 특보!"

탕탕!

"조용히 하세요!"

너무도 이례적인 판결에 순간 난장판이 되는 법정.

파랗게 질린 박지현이 털썩 주저앉는다.

"아, 아니야. 아니야. 아니라고 했어……. 아니라고 했단 말이야!"

이제야 현실을 깨닫고 무너지는 그녀.

'차라리 상민 씨에게 반성문을 보내지 그랬냐.'

판사에게 반성문을 보내 봤자 먹히지 않게 된 게 언젠데 그런 헛된 방법을 쓴 걸까.

종혁은 코웃음을 쳤다.

"남의 눈에서 눈물을 흘리게 했으면 자기 눈에선 피눈물을 흘릴 각오를 했어야지."

남을 괴롭힌 대가로 그녀는 이제 청춘을 모두 잃게 되었다.

자업자득.

동정할 가치도 없는 일에 종혁은 고개를 저으며 몸을 일으켰다.

\* \* \*

－미얀마의 민주화 운동이 나날이 격해지는 가운데…….

－다음 뉴스입니다. 대한민국 최초로 우주비행사로 선발된…….

"끄으으! 뜨하!"

기지개를 격하게 핀 종혁이 책상위로 무너지자 오택수와 최재수도 퍼진다. 드디어 업무 파악이 모두 끝났기 때문이다.

'이 양반이 괜히 2주나 준 게 아니네.'

거의 사무실에 살다시피 하며 파악을 했는데도 2주의 유예 기간을 꽉 채웠다. 설렁설렁 했다면 70퍼센트도 채 파악하지 못했을 거다.

"이럴 거면 신고식 때 자료를 주든지……. 어우, 뒷목아. 최재수, 문 열어. 복도 창문까지."

"옙!"

에어컨 바람이 시원하다지만 어디 자연의 바람과 비교할까.

복도의 창문을 열자 훅 하고 열기가 밀려왔지만 그게 에어컨 바람과 섞이니 제법 서늘하게 변하여 지친 몸과 정신을 어루만졌다.

종혁은 담배를 입에 물기만 한 채 꿍얼거렸다.

"햐, 이 동네도 지랄이네."

뭔 놈의 범죄자가 이리 많은지.

심지어 이게 각 지방청 외사과에서 감당하지 못해 넘긴 사건들이다 보니 헛웃음만 나온다.

"시급해 보이는 사안들은 골랐어요?"

"뭐가 급하고, 급하지 않겠냐. 어디서부터 건드려야 할지 감도 안 온다."

기본이 살인이고, 외국에서 중형 범죄를 저지르고 도망쳐 온 범죄자를 잡아 달라는 협조 요청이다.

모두 피해자들이 범인이 잡히기를 간절히 기도하고 있을 사건들. 무엇 하나 급하지 않은 것이 없었다.

"일단 외국에서 범죄를 저지르고 도망쳐 온 범죄자들부터 추려요. 돈이 없는 놈들로."

"잡 인터내셔널?"

국내에서 여고생을 강간하고 살해한 외국인 노동자를 잡기 위해 만든 잡 인터내셔널. 지금은 국정원이 운영 중이다.

"오케이."

맨몸으로 도망쳐 온 놈들이 뭘 하겠나. 한국에서 일자리를 찾을 테고, 그럼 현재 대한민국의 외국인 노동자 시장을 장악하고 있는 잡 인터내셔널을 거치거나 레이더에 걸릴 수밖에 없었다.

"야, 최재수. 인나, 인마. 인나."

"네에."

─사랑해, 널 이 느낌 이대로!

"응? 과장님? 예, 과장님. 최종혁입니다."

─그래, 우리 최 팀장. 아직 점심 안 먹었지?

눈을 빛낸 종혁은 잠시 핸드폰을 봤다.

'이 양반도 귀신이네, 귀신이야.'

그동안 연락 한 번 안 한 백이도 과장이 어떻게 알았는지 이쪽의 업무 파악이 모두 끝나자마자 연락을 해 왔다.

이제 본격적으로 사건을 맡으라는 거다.

"짜장면 어떠십니까?"

─……짜장면만 먹을 거지?

"푸핫!"

통화를 종료한 종혁은 몸을 일으켰다.

"과장님한테 일감 받고 올 테니까 방금 말한 사건들부터 정리하고 계세요."

"진짜 이놈의 경찰은 인원을 늘려야 해. 야, 간부. 너이런 거 건의 안 하냐?"

"다녀오세요!"

"오야."

방금까지 물고 있던 담배를 다시 케이스 안에 수습한 종혁이 사무실을 나서는 순간이었다.

지이잉!

다시금 울리는 핸드폰을 살핀 종혁은 나탈리아가 보낸 문자 내용에 잠시 굳었다가 입술을 비틀었다.

"하, 새끼들. 빨리빨리 좀 움직이지."

2007년, 굉장히 많은 피해자를 양산해 낸 바이칼호 보물선 인양 사기사건.

놈들이 드디어 움직이기 했다.

종혁은 핸드폰을 들었다.

"예, 과장님. 지금 러시아에서 수사기법에 관한 포럼을 연다고 연락이 왔는데, 제게 수사기법 강연을 맡기고 싶답니다. 어떻게 할까요?"

러시아로 향할 시간이었다.

# 3장. 사기의 정석

## 사기의 정석

구우웅!

이제 벼가 노랗게 익어 가고 날이 선선해진 가을의 10월.

하늘을 나는 종혁의 전용기 안에서 잠에서 번뜩 깬 백이도 과장이 주위를 둘러보다 전용기를 처음 탔을 때처럼 몸을 움츠린다.

한국 경찰의 자랑이자 마스코트인 종혁이 한국을 대표해 강연을 한다는데 어찌 부서의 수장인 그가 따라오지 않을 수 있을까.

각국의 내로라하는 범죄학 교수들과 경찰 관계자들과 안면을 틀 수 있는 기회. 외사수사과의 과장으로서 무조건 참가해야 했다.

여기에 따라가서 종혁의 돈 씀씀이에 대해 알아 오라는, 그래야 종혁에게 얼마나 많은 예산을 분배할지 결정할 수 있다는 함경필 국장의 밀명도 있었다.

"최 팀장."

"예?"

러시아 신문을 보고 있던 종혁이 고개를 들자 백이도는 눈물을 글썽였다.

"고마워."

"갑자기요?"

"응. 갑자기지만 너무 고마워."

'영수 청구를 다 안 해 줘서……. 빙산의 일각만 해 줘서…….'

이 전용기를 띄우는 값만 해도 외사수사과 두 개 수사팀의 보름치 예산이다.

종혁이 비행기를 띄울 때마다 영수 처리를 했다면 외사수사과는 경찰 역사상 최초로 일개 팀의 영수 처리 때문에 망해 버린 부서가 될지 몰랐다.

백이도는 말하지 않았지만, 대충 그의 생각을 눈치챈 종혁은 볼을 긁적였다.

'여기서 놀라면 곤란한데…….'

그런 그에게 스튜어디스가 다가온다.

"최, 10분 후 모스코 상공에 진입합니다."

"아, 고마워요. 이 와인도 더 주시고요. 입에 맞네요."

"도멘 드 라 로마네 콩티 르 몽라셰 1978, 사색을 즐길 때 마시기에 적합한 와인이죠. 원하신다면 계속 구비해 놓겠습니다."

"그래 주세요."

종혁은 다시 러시아 신문에 시선을 돌렸고, 가격을 묻지도 않고 구비하라는 쿨함에 작게 감탄한 백이도가 슬그머니 입을 연다.

술은 소주와 맥주가 최고라는 지론을 가진 그도 혀에 좌악좌악 감길 만큼 맛있기에 아내에게도 맛을 보여 주고 싶었기 때문이다.

"음…… 미스? 이거 가격이 얼마나 합니까?"

"경매로밖에 구매할 수 없기 때문에 정확한 가격을 측정하는 건 어렵습니다만 3만 달러는 넘을 겁니다, 미스터 백."

"컥!"

"귀국할 때 한 병 가져가세요. 곧 사모님과 결혼기념일이시잖아요. 선물로 드릴게요."

"아, 아냐! 아냐! 나 그렇게 염치없는 사람 아냐!"

"어차피 많아요. 아, 샐리. 그냥 스트리밍 이글 카버네쇼비뇽 1992년산으로 준비해 주세요. 무드 있는 이벤트를 할 땐 그게 좋을 것 같더라고요."

"알겠습니다, 최."

고개를 끄덕인 스튜어디스는 앞으로 향했고, 비행기는 곧 모스크바 외곽에 위치한 종혁의 저택에 지어진 활주로로 향했다.


떠억!

오택수가 입과 눈을 크게 벌린다. 최재수도, 백이도도

마찬가지다.

집인지 성인지조차 분간이 안 가는 거대한 저택.

사방이 숲으로 둘러싸인 저택의 앞에는 억대의 명차들이 방금 전 세차를 마친 것처럼 뽀송뽀송한 모습으로 대기하고 있었다.

"여, 여기가 몇 평이라고?"

"10만 평? 아마 그 정도 될걸요?"

원래는 저택을 중심으로 5만 평이었는데, 후에 땅을 더 늘렸다고 했다. 활주로도 그때 만들었기에 이제 러시아에 올 땐 이곳으로 바로 올 수가 있었다. 입국 심사도 이곳에서 해 주기로 했기 때문이다.

"숲엔 함부로 들어가지 마세요. 조난당하면 골치 아프니까."

심지어 곰도 있다. 물론 애완용으로 키우는 곰이다.

"그러니까 이걸 그 훈련법 때문에……."

"어차피 빈 땅이 많은 나라니까요."

"야, 너 왜 국적을 안 바꾼 거냐?"

같은 생각인지 백이도도 연신 고개를 끄덕이다 아차 했다.

"오 경감, 무슨 말을 그렇게 해! 최 팀장의 애국심이 그만큼 깊다는 거겠지! 한국 경찰로 남아 줘서 고마워, 최팀장!"

"그래요! 나라면 무조건 바꿨을 테지만! 사랑합니다, 팀장님!"

최재수다운 대답에 피식 웃은 종혁은 저택 안으로 향했다.

그러자 대기하고 있다가 종혁을 향해 인사를 하는 늙은 신사와 고용인들의 모습에 오택수들이 다시 굳는다.

"오랜만에 오셨습니다, 최."

"오랜만이에요, 유리프."

이 저택의 관리인인 유리프. 옛 KGB의 스파이다.

"그런데 직원이 꽤 늘었네요? 성비율도 꽤 편중되어 있고."

"부지가 넓어지고 시설이 많아져서 더 고용을 하게 됐습니다."

"단순히 그 이유가 아닌 것 같은데……."

마중을 나온 사용인들 전부 여성인 데다가 심지어 미녀다. 러시아인들이 미녀라 생각하는 선 굵은 미녀가 아니라 한국인이 미녀라 여기는 선이 얇은 미녀.

거기다 커리어우먼처럼 정장을 입었는데 특정 부위들이 굉장히 강조되고 있다.

'꿍. 나탈리아.'

"하하. 보드카를 준비할까요?"

"……에혀. 온천에서 마실 거예요. 바비큐도 준비해 주세요."

"방으로 안내해 드리겠습니다. 이쪽으로."

"뭐해요. 가요."

"어? 어어!"

빠악!

"침은 그만 흘리고 따라와, 인마."

"네에……."

그렇게 방으로 안내된 종혁은 문이 닫히자마자 입술을 비틀었다.

"내 선물은 마음에 드나요, 최?"

주인 없는 방에서 시거를 피고 있던 나탈리아가 종혁에게 다가와 살포시 껴안는다.

"어휴, 진짜."

고개를 저은 종혁의 눈빛이 돌연 싸늘하게 가라앉는다.

"놈들이 본격적으로 움직인 겁니까?"

"맞아요."

놈들이 본격적으로 러시아 정치인이나 바이칼 호수 인근 도시의 공무원, 부자들에게 접근을 하기 시작했다.

그래서 종혁을 데려오다 못해 종혁이 러시아를 자유롭게 돌아다닐 명분을 만든 거다.

그게 바로 수사기법에 관한 포럼.

너무 갑작스럽게 개최되는 포럼이라 많은 숫자가 참석할 순 없겠지만, 종혁과 나탈리아 둘에게 있어 그 부분은 별로 상관이 없었다.

"참 거침이 없더군요."

한 번 물꼬를 트자 무섭게 아군을 늘려 가고 있다.

'솔직히 최가 말해 주지 않았다면 놈들인지도 모를 뻔했어.'

사기꾼이나 머저리라고 여겼을 거다.

바이칼호에 숨겨진 표트르 대제의 보물선 이야기는 그저 전설에 불과했기 때문이다.

"그보다 대체 이 정보는 어떻게 안 건가요?"

종혁이 미리 말해 줬음에도 놈들이 활동을 시작하다 못해 일이 어느 정도 진행된 후에야 FSB(러시아연방보안국)가 알아차릴 만큼 은밀했다.

종혁은 품에서 쪽지 하나를 꺼내 나탈리아에게 건넸다.

[바이칼호 보물선 인양은 사기입니다.]

작년, 2006년 자살카페 사건 이후 은밀하게 배달된 쪽지.

종혁은 이 정보의 진위 여부를 확인하기 위해 레이더를 돌렸는데, 올 7월에야 놈들의 흔적을 겨우 찾아낼 수 있었다.

놈들의 움직임은 지독하리만큼 조심스러웠다.

그런데 그걸 종혁보다 빠르게 파악하고 있었다?

생각할 수 있는 건 하나뿐이었다.

"내부자. 그놈들 조직에 속해 있으면서도 그놈들이 마음에 들지 않는 누군가겠죠."

작금의 상황을 토대로 고민해 보았을 때 나오는 답은 그것뿐이었다.

"호오. 재밌네요. 그곳도 사람이 사는 곳이라는 거네요."

집에 바퀴벌레가 나왔다면 네 시선이 닿지 않는 곳에 백 마리가 있다는 말이 있다.

즉, 어쩌면 이번에 쪽지를 전달한 인물 외에도 조직에 불만을 품은 또 다른 이가 있을지도 모른다는 가능성이 생긴 것이다.

'단순히 내부 항쟁이라도 있는 건지, 아니면 다른 목적이 있는 건지는 모르겠지만…….'

이런 식으로 적의 내부에 균열이 생길수록 빈틈이 만들어질 터.

종혁에겐 나쁠 거 하나 없는 일이었다.

"아니, 우리에겐 나쁠 게 없죠."

"후후. 맞는 말이에요. 그래서 기쁜 마음에 선물을 하나 준비해 봤는데……."

"여기서 더요?"

싱긋 웃은 나탈리아는 손가락을 튕겼고, 이내 화장실 쪽에서 문을 열고 나오는 사내를 본 종혁은 눈을 부릅떴다.

"어때요. 마음에 드나요?"

"……죽이네요."

종혁과 나탈리아는 서로를 보며 웃음을 흘렸다.

그건 꽤 사악한 웃음이었다.

\* \* \*

모스크바 붉은 광장 근처의 한 거대한 컨벤션 센터.

10월이 되면서 날이 살벌하게 추워지다 보니 수사기법에 관한 포럼에 참가하는 사람들의 옷이 두텁다.

"오, 최!"

"교수님!"

미국 범죄학계의 권위자 안드레 교수, 그가 웃으며 종혁을 향해 다가왔다.

"여긴 어쩐 일이세요."

오늘 프랑스에서 범죄학 포럼이 열리며, 안드레 교수는 그곳에 참가하기로 되어 있었다.

그런데 그가 어째서 이곳 러시아에 있는 것인지 의아할 수밖에 없었다.

"최가 수사기법의 미래에 대해 강연을 한다는데 만사를 제쳐 두고 와야죠."

종혁은 대체 어떤 미래를 그리고 있을까. 그것이 몹시 궁금해서 참을 수가 없다.

"이런……."

"왜 그러죠?"

"교수님께서 참석하실 줄 알았다면 더 위트 있는 멘트를 준비할 걸 그랬네요."

"으하하하하핫!"

"아, 이쪽은 제 상사이신 백이도 총경입니다. 그리고 이쪽은 제 팀원들이고요."

"범죄학의 권위자를 만나게 되어 영광입니다. 대한민국 경찰청 외사국 외사수사과의 과장 백이도입니다."

"오. 최의 상사라면 범상치 않은 분이겠죠. 만나서 반갑습니다, 미스터 백. 그리고 골치 아픈 상사를 만난 것에 애도를 표합니다, 최의 팀원들."

"아하하. 최재수입니다."

"최!"

"아, 교수님!"

영국 범죄학계의 권위자 해리 가드너 교수. 그를 일견한 안드레 교수의 얼굴이 미묘하게 구겨진다.

"왔군, 해리. 영국의 날씨는 오늘도 안녕하나?"

"자네의 그 쓸 일 없는 작은 땅콩처럼 언제나 안녕하지."

미국 출신의 범죄학계 권위자 안드레 교수.

영국 출신의 범죄학계 권위자 가드너 교수.

각기 자유분방과 고지식의 나라 대표인 둘은 옛날부터 앙숙이었다.

그런 둘의 모습에 종혁은 어색한 웃음을 흘렸다.

'이 양반들 또 이러네.'

"오오, 최!"

"앙리 씨!"

프랑스 내무부 산하 국가 경찰 사법경찰국(Direction centrale de la Police judiciaire. DCPJ)의 앙리.

계급은 한국으로 치면 경무관에 해당하는 고위 간부다.

그뿐만이 아니다. 종혁을 발견한 사람들이 속속 모여들고 있었다.

'크으! 최 팀장!'

마치 뽕을 맞은 듯 황홀한 기분.

'얘가 제 부하입니다! 세상 사람들! 이렇게 대단한 최팀장이 내 부하라고요!'

백이도는 진심 가득한 웃음을 터트리며 세계 각국의 인

사들과 안면을 터갔다.

그리고 이내 곧 4일 동안 개최되는 수사기법에 관한 포럼이 시작되었다.


"이상으로 우리에게 프로파일링과 행동심리학이란 영감을 주신 신과 이 두 개를 아름답게 조형해 세상에 내놓은 최에게 감사를 표하며 발표를 마치겠습니다."

짝짝짝짝짝짝!

장장 8시간, 총 6명의 발표가 끝나자 모두 기지개를 켜며 일어선다.

"후. 범죄 수법이 나날이 진화하고 있다는 게 몸소 느껴지는군요."

"이젠 따라가는 게 벅찰 정도입니다."

안드레와 가드너의 말에 종혁뿐만 아니라 주위의 저명한 인사들이 모두 고개를 끄덕였다.

"받아들이는 정보의 양이 많아지니 어쩔 수가 없는 거죠."

우발적인 범죄를 제외한 모든 범죄는 창작이다.

어떻게 하면 남을 속일 수 있을까.

어떻게 하면 내가 걸리지 않을 수 있을까.

범죄자들은 그 수법을 끊임없이 궁리하고, 또 궁리해 경찰들을 한 발 앞서려고 한다.

그리고 이 수법이라는 건 결국은 그 범죄자가 가진 지식, 정보를 기반으로 하여 만들어지는 것.

문제는 이들이 얻을 수 있는 정보의 양이 불과 10년 전과 비교하여 최소 30배는 많아지게 되었다는 점이다.

바로 인터넷 때문이다.

범죄자들은 인터넷을 통하여 과거 범죄 수법을 보완하여 몇 배 더 완벽한 범죄를 저지른다. 아니면 그를 기반으로 아예 새로운 범죄를 발명해 내든가.

'곧 등장할 피싱 사기처럼.'

이미 일본을 뒤흔들고 있는 피싱 사기.

한국에도 상륙하기까지 몇 년 남지 않았다.

"아마 앞으로는 버겁다는 수준이 아니라 쫓아가는 게 불가능한 수준까지 진화할지도 모릅니다."

종혁의 무거운 말에 사람들의 낯빛이 어두워진다.

"그만큼 우리도 연구하고, 또 연구해야겠죠. 또 앞서 나가야 합니다."

종혁의 그 말에 움찔 몸을 굳힌 안드레가 푸근한 미소를 지었다.

"그것에 관한 것이겠군요. 최가 내일 발표할 수사기법의 미래는."

"제가 말했던가요? 난 정말 눈치 빠른 사람들이 싫습니다."

"으하하하하하!"

"크크크크!"

"자, 그럼 굳은 허리도 풀 겸 맥주나 마시러 가시죠!"

누군가의 외침에 모두 긍정을 표했지만, 종혁은 약간 난처한 표정을 지었다.

"맥주는 아무래도 내일 마셔야 할 듯하네요. 선약이 있거든요.”

“선약?”

“예. 아주 중요한 선약이죠.”

순간 차가워졌던 종혁의 눈이 다시 미소를 지었지만, 그걸 눈치채지 못할 사람은 이 자리에 없었다.

“……이런. 아쉽군요. 그럼 내일 뵙겠습니다, 최.”

“도움이 필요하면 언제든 말해 주십시오.”

“내일 가만두지 않을 겁니다, 최.”

“하하. 그럼 내일 뵙겠습니다. 모두 모스코에서의 첫날 밤을 즐겁게 즐기시길.”

작게 목례를 하며 도로로 나선 종혁은 때마침 도착하는 리무진을 보며 발을 멈춰 세웠다.

“오, 최! 나의 친구!”

“빅터!”

종혁을 와락 껴안은 드바 로마노프의 회장, 빅토르 로마노프는 그의 귀에 대고 나지막이 속삭였다.

“악역이 등장하기로 했습니다. 준비됐습니까?”

“언제든.”

종혁의 입술이 차갑게 비틀린다.

그리고 잠시 후 저녁.

종혁의 저택보다 더 거대한 빅토르의 저택.

파티가 열리는 그곳에 새하얀 슈트를 입은 거구의 사내가 두꺼운 시거를 문 채 느릿한 걸음으로 들어선다.

“아이반 벨로프 님께서 입장하십니다!”

입구에서 들리는 외침에 반사적으로 고개를 돌렸던 오택수와 최재수, 백이도는 경악을 하며 종혁과 아이반을 번갈아 바라봤다.

그에 종혁은 보드카를 홀짝이며 미소를 지었다.

지금부터 장대한 사기극의 시작이었다.

*　*　*

부우웅!

모스크바의 시내를 가로지르는 차 안.

노랗고 하얀 불빛들이 스쳐 지나가는 차창을 밖을 보던 사십대의 중년인이 입술을 달싹인다.

"최종혁이 러시아에 왔다고?"

최종혁. 그들 회사와 지독한 악연인 놈.

얼마 전 아프가니스탄에서의 프로젝트가 종혁에 의해 실패한 이후, 본사에선 손해를 감수하더라도 종혁을 죽여야 한다와 아직은 아니다로 나뉘어 의견 다툼이 벌어졌고, 서로 칼을 휘두르기 일보 직전까지 갔었다.

그런 종혁이 다시 러시아에 왔다. 그것도 자신들이 한참 공을 들이고 있는 러시아에.

"예. 이번에 러시아에서 개최되는 수사기법에 관한 포럼에 특별 강연을 하기 위해 어제 입국했다고 합니다."

이마저도 러시아 파견 직원이 알려 준 정보였다.

몇 년 전 다단계 투자사기 프로젝트의 실패로 러시아

파견 직원이 실종되면서 러시아에 커다란 정보 공백이 생겼고, 본사는 부랴부랴 파견 직원들을 파견했다. 혹여 한 명이 사라진다고 해도 정보의 공백이 생기지 않게 여러 명을.

이 때문에 굉장히 많은 예산과 인력이 소모됐었다.

이 파견된 직원들이 물어다 준 정보에 의하면 종혁이 머무는 곳은 SVR에서 마련해 준 모스크바 외곽의 대저택.

"총경 백이도, 경감 오택수, 경장 최재수와 함께 어젯밤 저택에서만 머물렀다고 합니다."

"왜 최종혁이 러시아에 도착할 때까지 아무도 몰랐지? 아직도 외사국에 우리 쪽 사람들이 침투하지 못한 건가?"

"함경필 국장이 만만치가 않다고 합니다."

평소 헤실헤실 웃음을 흘리며 다니고, 소심해 보이지만 함경필 국장은 무려 10년 동안 외사국의 국장으로 있었던 존재다.

그가 모신 경찰총장만 이번 박종명 청장까지 무려 4명. 그럼에도 국장 자리에서 내려오지 않는 걸 보면 외적으로 보이는 모습 외에도 다른 무언가가 있단 소리다.

그들이 파악한 외사국은 그 어떤 외부의 침입도 불허하는 철옹성이었다.

"최기룡과 이택문의 칼춤에 의해 외사국 라인이 전부 잘려 나간 뒤 외부 수혈을 극도로 자제하며 내실을 다졌다고 합니다."

죄다 뇌물 따위로 목이 날아가니 충격을 받은 함경필은

그때부터 부하들을 꼼꼼히 보살피기 시작했다.

이에 외사국의 과장들은 전부 함경필의 수족이 되어 버리니, 외사국에 이쪽의 사람이 들어간다고 해도 요직에 앉을 가능성은 희박했다.

"최종혁쯤 되지 않고는 외사국에 들어갈 수 없다는 말이군. 쯧. 역시 본청이라는 건가."

참으로 허술해 보이는 게 경찰 조직인데, 의외로 빡세다.

최기룡과 이택문이 그렇게 만들어 놨다.

"본사에선 이들을 왜 제거하지 않은 건지…… 쯧. 아, 그런데 최종혁과 빅토르 로마노프 사이에 접점이 생겼다고?"

이미 그보다 훨씬 전에 러시아에 와 있던 사십대 중년인으로선 아무래도 정보의 질이 낮을 수밖에 없었다.

"영국 지부에서 말하길 런던에서 발생한 도난 사건 때문에 접점이 생겼다고 하는데……."

그들의 머릿속에 한 가지 정보가 스쳐 지나간다.

러시아에서 시뮬레이션으로 행해졌던 다단계 투자 사기 프로젝트에 연관되어 있던 빅토르 로마노프, 그리고 그의 친구 아이반 벨로프.

'설마?'

둘의 눈이 차갑게 가라앉는 순간이었다.

"도착했습니다, 차장님."

이번 바이칼호 보물선 인양 사기 프로젝트의 러시아 현지 총괄인 사십대의 중년인은 백색의 거대한, 마치 프랑스의 베르사유 궁전처럼 거대한 저택을 보며 혀를 찼다.

"내가 평생 벌어도 저걸 살 수 있으려나."

"이번 프로젝트처럼 대형 프로젝트에 계속 소속될 수 있으면 언젠가 살 수 있지 않겠습니까? 그런데 유지나 관리는 어떻게 하시려고요?"

"……문이나 열어."

"하하!"

열린 문을 통해 차를 빠져나온 중년인은 옷매무새를 가다듬으며 활짝 열린 저택의 문을 향해 발을 뗐다.

"차장님, 가방이요!"

"아."

서류 가방을 받아 왼손에 든 그는 다시 걸음을 옮겼다.

"초대장을 보여 주시겠습니까?"

"여기 있습니다."

"확인됐습니다. 빅토르 님의 만찬에 오신 걸 환영합니다."

"감사합니다."

그들은 집사로 보이는 이를 지나쳐 안으로 들어갔고, 그들의 등 뒤로 소개가 터져 나왔다.

"한국에서 오신 선유컴퍼니의 도경수 님 외 한 분께서 입장하십니다!"

잠시 그들에게 머물렀다가 다시 돌려지는 시선들.

도경수의 눈이 크게 흔들린다.

"여기에 다 있네."

이 러시아의 상류층들이 말이다.

"아, 저기에 계십니다."

도경수를 보좌하는 삼십대 사내가 로비의 한구석, 강화 플라스틱으로 감싸인 보물을 감상하는 배불뚝이 노인을 가리켰다.

　그들을 이 이 파티에 출입할 수 있게 도와준 인물이자 이 저택의 주인인 빅토르 로마노프의 고향 이르쿠츠크의 거물 정치인, 올라프 다비예프.

　그에게 다가간 도경수가 고개를 숙인다.

　"늦었습니다, 올라프."

　"쉿."

　검지를 입에 가져간 올라프는 빅토르가 영국에서 가져온 표트르 대제의 여인, 예카테리나가 생전에 착용했다는 귀걸이와 목걸이를 보며 황홀한 표정을 지었다.

　"경이롭지 않은가?"

　러시아가 강국으로 발돋움하던 시기를 그대로 담아낸 예술품.

　러시아의 사내로서 어찌 이걸 보고 가슴이 흔들리지 않을까.

　"확실히 아름답군요."

　"그렇다면 자네도 러시아의 남자일세."

　껄껄 웃은 올라프는 옆에 있던 노인에게 이들을 소개했다.

　"호오. 이들이 전설로만 내려오던 표트르 대제의 숨겨진 보물선을 찾는다는 멍청이들인가?"

　표트르 대제가 자신의 사후에 혹여 자신이 이룩한 러시아가 무너질까 걱정되어, 어느 귀족에게 명령하여 바이칼 호수에 숨겨 두려 했던 보물.

그러나 기상이변에 의해 운반 도중 배가 좌초되며 사라졌다는 그 보물.

정사에는 기록되지 않고 야사로만 전설처럼 전해지는 이야기인 터라 그 보물의 존재를 실제로 믿는 이들은 극히 드물었다.

"아니면 몽상가나 사기꾼으로 불러야 할까."

'멍청이. 몽상가. 사기꾼!'

마치 마음속을 꿰뚫어 보는 듯한 매서운 시선에 도경수 차장은 엷은 미소를 지었다.

"실제로 그 흔적을 찾았으니 사기꾼은 아닐 겁니다."

"호오?"

어디 증명해 보라는 듯한 도발적인 시선에 도경수는 가방을 열어 조심스레 반이 잘린 반지 하나를 꺼냈다.

"읍?!"

노인뿐만이 아니다. 주위에 있던 사람들 전부 도경수가 꺼낸 반지를 보고 헛숨을 삼켰다.

그에 도경수는 눈을 빛냈다.

사기를 시작할 시간이었다.

"표트르 대제의 밀명에 의해 러시아 전역으로 흩어진 황실의 보물 중 바이칼호로 향한 약 500여 톤 상당의 보물과 금괴, 그 전설의 흔적입니다. 보시다시피 이것과 양식이 똑같죠."

그 말에 빅토르 로마노프가 오늘의 파티를 위해 전시해

놓은 보물들과 반지를 번갈아 본 사람들은 탄식을 터뜨렸다.

"허! 그 전설이 진짜였다니!"

"미친! 올라프, 왜 이걸 말하지 않은 건가!"

"하하. 내 깜짝 선물은 마음에 들었나?"

도경수는 후끈 달아오르는 그들의 모습에 입술을 비틀었다.

'됐군.'

빅토르가 영국에서 표트르 대제 시절의 보물들을 구해 오면서 더 쉬워진 이번 일.

운이 좋아도 이렇게 좋을 수 있을까.

사람들의 눈에 탐욕이 서리기 시작하자 도경수는 옆을 스쳐 지나가는 고용인이 든 쟁반에서 샴페인을 하나 가져와 입술을 축였다.

'곧 돈이 굴러 들어오겠군.'

500여 톤 상당의 보물과 금괴. 한화로 수십조 원이다.

눈이 돌아가지 않는다면 그 사람이 병신이었다.

그 순간이었다.

"빅토르 로마노프 님과 그의 친구 최께서 입장하십니다!"

이번 파티의 호스트인 빅토르가 등장한다는 소식에 사람들 모두 하던 일을 멈추고 입구를 바라봤다.

그리고 살짝 놀란다.

웬 동양인 남성이 러시아 재계의 거물, 빅토르와 어깨를 나란히 한 채 걸어 들어오고 있었기 때문이다.

보통 이런 파티는 에스코트를 할 여성과 함께 들어오는 게 기본임에도 남자와 함께하는 것도 모자라, 정말로 친애하지 않는 이상 호스트에 대한 예의 차원에서라도 한 발 물러서야 하는데도 나란히 걷는다.

사람들은 종혁에 대해 궁금해하기 시작했다.

하지만 도경수와 그의 부하 직원은 아니었다. 그들의 두 눈 차갑다 못해 살의가 넘실거렸다.

"친하군."

"아무래도 회사의 추측이 맞는 것 같습니다."

고작 망신을 당하지 않게 해 줬다는 이유만으로 옆을 내줄 수 있을까.

거만한 괴물, 빅토르 로마노프라는 사내는 결코 그런 인물이 아니었다. 이는 이미 오래전부터 종혁과 빅토르가 친분을 쌓아 왔다는 뜻.

'아이반과 최종혁은 동일 인물이다!'

러시아에서 진행된 다단계 투자 사기.

처음에는 당시 프로젝트를 맡았던 김 대리가 돈을 **빼돌**린 것이라 판단했으나, 연수원을 급습한 러시아의 모습을 통해 다른 원흉이 있음을 깨달을 수 있었다.

그리고 회사는 빅토르 로마노프의 소개로 무려 천만 달러나 되는 거액을 투자했던 고려계 러시아인 졸부 아이반 벨로프, 그가 그 원흉일 것이라 추측했다.

또한…… 그 아이반 벨로프가 최종혁이 아닐지 의심했다.

하지만 지금까지는 의심에 불과했으나, 눈앞에 보이는

종혁과 빅토르의 모습을 보자면 틀림없다는 축이 섰다.

"어떻게 할까요?"

"어떻게 하긴."

이는 종혁이 다단계 투자 사기 때부터 자신들을 알고 있었다는, 정확히는 명확하게 인식하고 있었다는 뜻이니 답은 하나다.

"제거해야지."

그동안 본사가 무서워하던 러시아의 개입, 그 손해를 감수하더라도 제거하는 방향으로 가야 한다. 우연히 얽히는 것과 작정하고 찾아 얽히는 건 차원이 다른 문제니까.

"넌 나가서 본사에 연락해. 최종혁과 아이반 벨로프가 동일 인물이 확실한 것 같다고."

"예."

밖으로 빠져나가는 부하 직원을 일견한 도경수는 마치 이런 파티가 익숙한지 옆을 지나는 고용인에게서 샴페인을 낚아채 입에 가져가는 종혁과 그런 종혁을 주위 사람들에게 인사시키는 빅토르를 보며 눈빛을 차갑게 가라앉혔다.

그때였다.

"아이반 벨로프 님께서 입장하십니다!"

"풉?!"

도경수는 안으로 들어오는 백색의 거인을 보며 눈을 부릅떴다. 그건 밖으로 향하던 도경수의 부하 직원도 마찬가지였다.

＊　＊　＊

"와, 씨발."

리무진 안, 종혁의 대저택보다 최소 두 배는 커 보이는 빅토르의 대저택에 감탄을 표하던 최재수가 다급히 입을 막는다.

하지만 오택수나 백이도는 그런 최재수를 타박하지 않았다. 그들도 빅토르의 대저택에 정신이 팔렸기 때문이다.

"저택을 새로 산 겁니까, 빅터?"

"원하는 걸 모두 채워 넣으려다 보니 어쩔 수 없이 커지더군요. 여긴 최의 저택이 있는 곳처럼 넓은 부지를 구매할 수 없으니까요."

"그런 걸 이 모스크바 한복판에 지었다가는 저기 크램린궁에 사시는 분께서 굉장히 싫어하시겠죠."

"으하하하핫! 아, 내리죠."

리무진에서 내린 빅토르는 종혁에게 손을 내밀었다.

"그럼 무대에 오르실까요, 레이디?"

"한 번만 더 그렇게 부르면 내 주먹이 가만있지 않을 겁니다."

"하하하핫!"

그들은 저택으로 향했다.

"빅토르 로마노프님과 그의 친구 최께서 입장하십니다!"

안으로 고하는 외침에 이쪽을 쳐다보는 사람들.

놀람과 흥미가 주를 이룬 시선 속에서 동양인 두 명을 발견한 종혁은 눈빛을 가라앉혔다.

'저놈들이군.'

별다른 특징 없이 평범하게 생긴 외모들.

옆을 스쳐 지나가는 고용인에게서 샴페인을 넘겨받은 종혁은 몰려드는 사람들과 인사하는 빅토르의 소개에 고개를 까딱이며 통성명을 나눴다.

"호오. 혹시 한국 범죄학의 최 아닙니까?"

"어? 절 아십니까?"

"오, 이런! 모를 리가요!"

마치 스타를 만난 소녀팬처럼 흥분하는 노년의 신사.

"모스코 대학 법학부의 일리야 페데로프입니다. 이봐, 인사들 하라고. 이 젊은 친구가 현대 수사기법의 새 지평을 연 천재니까!"

현재 범죄학계의 내로라하는 권위자들과 어깨를 나란히 하는 어린 괴물.

종혁이 만든 수사기법을 차용하지 않은 나라가 없을 정도이기에 현대 범죄학계에 환생한 아인슈타인이라고도 불렸다.

"프로파일링과 행동심리학의 대가지!"

"호오. 이 친구가 누군가를 이렇게 극찬하는 건 처음 있는 일인 것 같군요. 반갑습니다, 최. 상트페테르부르크에서 심리학을 가르치는……."

사람들이 적극적으로 인사를 건네 오자 종혁은 어색하게 웃으며 오택수와 최재수, 백이도도 함께 소개시켜 줬다.

'그나저나 대체 언제 오는 거…….'

"아이반 벨로프 님께서 입장하십니다!"

입구로 돌아간 사람들이 술렁인다.

뚜벅! 뚜벅!

옆구리에 여자를 낀 채 거침없이 걸어 들어오는 거구의 사내.

사람들의 시선이 종혁에게로 향한다.

비슷하다. 아니, 쌍둥이라고 해도 믿을 정도다.

입가에 샴페인 잔을 가져가며 살짝 웃은 종혁은 이내 표정을 수습하며 아이반을 빤히 응시했다.

아이반 벨로프. 원래는 서류상으로만 존재하는 허상 속의 인물이자 종혁의 위장 신분이지만, SVR이 몇 년의 노력 끝에 현실로 끄집어낸 존재.

그리고 나탈리아가 준비한 선물.

지금부터 시작될 사기극의 주연 배우다.

"오, 빅터! 내가 왔…….."

종혁을 발견하곤 낯빛이 딱딱하게 굳은 아이반.

마치 도플갱어라도 만난 것처럼 경멸과 분노로 두 눈이 일그러진다.

"뭐야, 이 못생긴 놈은. 빅터, 이 자식은 뭡니까?"

초장부터 시비를 거는 그의 행동에 종혁이 코웃음을 쳤다.

"뭐래."

종혁은 빅토르를 보며 아이반을 가리켰다.

"이 마피아 새끼는 누굽니까, 빅터?"

"아하하. 최, 전에 말했죠? 당신과 똑같이 생긴 친구가 있다고. 이쪽은 아이반 벨로프라고 내 오랜⋯⋯."

"마피아? 하하. 어이, 입을 함부로 놀리면 큰일 난다고 엄마한테 배우지 못했나?"

"푸흐. 좆도 아닌 새끼가 가오를 잡네. 빅터, 내가 당신의 친구로서 충고 하나 하겠는데, 이런 껄렁한 놈은 그냥 버리시는 게 좋을 겁니다. 이렇게 언행이 방정맞은 놈은 언젠가 당신의 발목을⋯⋯."

뻐어어억!

쿠당탕!

"꺅!"

"헉!"

거의 3미터를 날아 바닥을 뒹군 종혁.

"아, 아이반! 지금 무슨 짓을⋯⋯."

주변 이들이 경악하여 소리쳤지만, 정작 사고를 친 아이반은 태연하게 시거를 물었다.

"어이, 애송이. 이렇게 처맞으니까 말을 함부로 하면 안 되는 거야."

"티, 팀장님!"

"최 팀장!"

달려드는 오택수들을 향해 손을 들며 몸을 일으킨 종혁

이 입을 오물거리다 침을 뱉어 냈다.

"퉤!"

바닥에 뱉어진 피와 그 사이에 섞인 하얀 조각들.

아이반을 보는 종혁의 얼굴이 기괴하게 뒤틀렸다.

"푸흐흐."

눈에 불똥이 튀는 종혁.

"넌 뒈졌어."

종혁은 아이반을 향해 달려들었다.

부왁!

종혁이 달려들자마자 아이반의 다른 손이 얼굴을 향해 날아든다. 느려진 시간 속에서 빠르게 움직이는 우악스런 흉기.

마치 권투 선수처럼 몸을 흔들어 피한 종혁이 왼손으로 아이반의 옆구리를 후려치고, 오른손으로 턱을 노린다.

뻐벅!

"어? 막아?"

'진짜로?'

옆구리에는 제대로 주먹이 꽂혔으나, 턱을 가격하려고 했던 오른손은 가드에 틀어막혔다.

흥분한 척 맞붙기로 한 것 외에는 짜여진 대본이 없었기에, 이왕 싸우는 거 질 생각은 없었기에 진심으로 휘둘렀건만 막아 낸 것이다.

반면 가드를 올려 종혁의 훅을 막은 아이반의 얼굴이 흉악하게 일그러졌다.

마치 꿰뚫린 듯 파고드는 옆구리 통증.

이 모든 게 연기임을 알지만 열이 솟구친다.

"이 애새끼가!"

번개처럼 종혁의 배를 걷어찬 아이반이 뒤로 물러나는 종혁의 머리채를 낚아채며 무릎을 올려친다.

그에 그 무릎을 향해 팔꿈치를 내려찍는 종혁.

뻐어억!

"윽!"

얼굴이 더욱 일그러진 아이반은 종혁을 완력으로 찍어 누르며 그의 발목을 걷어찼다.

그러나 종혁은 허공에 붕 뜬 와중에 이번에야말로 주먹을 휘둘러 아이반의 턱을 가격했다.

뻐벅! 쿵!

다급히 일어난 종혁은 입술을 뒤틀며 거슬리는 상의를 벗었다.

"야, 나보다 못생긴 새끼. 너…… 좀 친다?"

"죽여 주지."

종혁과 마찬가지로 상의를 벗다 못해 셔츠를 뜯어내는 아이반. 온몸을 가득 채운 문신이 종혁을 위협한다.

그에 진심으로 자세를 잡는 종혁.

그 또한 연기임을 알고 있음에도 점점 흥분되는 것을 느꼈다.

종혁은 좋아서 어쩔 줄 모르겠다는 표정을 지으며 손가락을 까딱였다.

"들어와, 새끼야."

"푸흐흐. 넌 죽었다, 애송이."

아이반이 달려들고, 그에 종혁 역시 땅을 박차는 순간이었다.

"그만—!"

둘의 흥분을 끊어 내는 분노 어린 외침.

화가 잔뜩 난 얼굴을 한 빅토르가 이쪽을 불만스럽게 쳐다보는 둘을 보며 싸늘하게 일갈했다.

"더 이상 소란을 일으킨다면 날 정말로 망신 주겠다는 걸로 알겠어."

"……쯧. 빅토르는 다 좋은데 사내다운 면모가 부족해. 아이반 벨로프다, 꼬마."

"최종혁이다, 좆같은 새꺄."

"흐흐. 앙칼지군. 보드카 좋아하나?"

"없어서 못 마시지. 그런데 너랑은 안 마셔."

"성격만 계집애 같은 줄 알았더니 행동도 계집애 같군. 거기가 달려 있는 건 맞아?"

빠직!

"……그래, 그냥 끝을 보자."

"그만해, 이 바보들아!"

더 이상 주먹을 휘둘렀다가는 정말 화를 낼 듯한 빅토르의 모습에 혀를 찬 종혁은 상의를 주워 들며 주위에 사과를 했고, 아이반은 데려온 여성이 입혀 주는 옷에 팔을 넣으며 코웃음을 쳤다.

똑같이 미친놈이지만, 상반된 모습에 사람들의 표정이 묘하게 변했다.

"괘, 괜찮으세요, 팀장님?!"

"몰라. 한국 가면 치과에 가 봐야 할 것 같아."

기습적으로 맞은 주먹 때문에 이가 흔들리는 것 같다.

'저 새끼 진짜로 쳤어.'

이래서 스파이가 무서운 거다. 임무가 종료될 때까지 위장된 신분을 진짜 자신의 모습으로 여기니까.

'아주 제대로 만들어 놨네.'

"크크. 야, 너 임자 만났다? 이렇게 얻어맞은 건 거의 처음 아니냐?"

"그, 그게 무슨 말이야, 오 경감! 최 팀장, 괜찮아?"

"그래요. 그게 맞은 사람한테 할 말입니까?"

그래도 고맙다.

종혁이 다시 달려들자 언제든 참전할 태세를 갖췄던 오택수.

최재수와 백이도도 몸을 풀며 눈을 날카롭게 빛냈다.

"과장님, 저 화장실 좀 다녀올게요."

"어, 어. 그래. 얼른 다녀와! 같이 가 줄까?"

"아뇨. 그건 괜찮습니다."

코가 뜨거운 게 아무래도 코피가 나는 것 같다.

종혁은 뿌득뿌득 소리를 내는 코를 흔들며 화장실로 향했고, 빅토르는 옷 좀 바꿔 입고 오겠다고 돌아서는 아이 반의 모습에 한숨을 내쉬며 사람들에게 사과를 했다.

"후우. 잠시 불미스런 일이 있었지만, 원만하게 끝났으니 다시 파티를 즐겨 주시길 바랍니다."

잠시 중단되었던 오케스트라의 연주가 다시금 울리기 시작했고, 멀어지는 종혁을 응시하던 도경수 차장은 발을 뗐다.

\* \* \*

"큽! 카악, 퉤."

핏덩이를 뱉어 낸 종혁은 피는 멎었지만 욱신거리는 코를 어루만지며 혀를 찼다.

"하, 새끼. 진짜 죽여 버릴까?"

뚜벅뚜벅.

안으로 들어오는 도경수를 힐끔 보며 속으로 웃음을 흘린 종혁은 입가 주변에 묻은 피를 물로 닦기 시작했다.

"아, 옷도 갈아입어야 하네. 이것만 가져왔는데…… 쯥."

구시렁거리는 그의 옆 세면대로 도경수가 선다.

"한국인이신가 봅니다?"

"어, 한국인이세요? 이야, 여기서 한국인을 뵐 줄은 몰랐네요."

"저도 그러네요. 그런데 어우, 아까 싸움 실력이……. 격투기 선수세요? 저 UFC 굉장히 좋아하는데."

"아하하. 아뇨, 그런 건 아닙니다."

"음. 그래요? 그럼 뭐지? 아, 맞아. 아까 빅토르 로마노프 씨와 함께 들어오시는 것 같던데, 혹시 대기업의⋯⋯."

"아뇨, 아뇨. 그것도 아니라 경찰입니다."

"예?"

"본청 외사수사과의 최종혁 경정입니다. 이번에 러시아에서 수사기법에 관한 포럼이 열려서 참석하러 왔죠."

"아니, 한국 경찰분께서 러시아 사업가인 빅토르 회장님과는 어떻게⋯⋯?"

"빅터와는 예전에 인연이 좀 있어서⋯⋯."

종혁은 알고 싶다는 듯 쳐다보는 도경수의 눈빛에 볼을 긁적였고, 도경수는 슬쩍 한 발 물러났다.

"어이구, 보통 인연이 아니셨나 보네요. 그분께서 아무나 옆에 세우는 게 아닌데."

"그, 그런가요? 하하. 뭐 그럴 수도 있겠네요. 전 몰라봤는데, 예전에 한국에서 저와 만난 적이 있더라고요."

그 말에 도경수의 눈이 동그래진다.

"어이구, 정말요?! 와, 그런 우연이 있어요? 어떻게요?"

"제가 고등학교 때였나? 아무튼 그때 봉사활동 차 동대문 파출소에 갔을 때 길을 잃고 방황하던 빅터에게 동대문을 안내해 줬다고 하더라고요. 그러다 뭐⋯⋯ 아, 이건 수사상 기밀이라 말해 드릴 수 없겠네요."

'이거였구나!'

종혁과 빅토르가 그렇게 친분이 있어 보이던 이유가 말이다.

'만약 빅토르 회장이 동대문에서 드바 로마노프 설립의 단서를 찾았다면?'

SPA 패션. 그건 어쩌면 동대문 패션이라고도 할 수 있었다. 싸고 다양하고 쉽게 입고 버릴 수 있는.

정말 그렇다면 빅토르에게 있어 종혁은 은인이라고 할 수 있었다.

'그래서 그 보물들에다가 한화로 천억이 넘는 돈을 줬던 거야! 은혜를 갚으려고!'

현재 시장을 꽉 붙들고 있는 드바 로마노프를 만들게 해 준 사람이 종혁인데 그깟 돈이 문제일까.

다리 다친 까치가 은혜를 갚았다고 보면 된다.

배포가 고래보다 큰 빅토르라면, 현재 순 자산만 10조가 훌쩍 넘는다는 빅토르라면 충분히 그럴 수 있었다.

"허, 그런 기억은 잊히기가 쉽지 않을 텐데……."

"그땐 공부하고 운동하느라 바빠서요."

"아아, 그래서 빅토르 회장이 드바 로마노프의 해외 첫 진출을 한국에서 했던 거군요. 정말 장한 일을 하셨습니다. 아, 맞아. 선유컴퍼니의 도경수 차장입니다."

"이런 파티에 참석하실 정도라면 대단한 회사겠네요. 그런데 무슨 일을 하는 곳인지……."

"하하. 아무래도 일반인은 저희 회사를 잘 모를 만하죠. 경찰분들도요. 혹시 트레저 헌터라고 아십니까?"

"아, 보물을 발굴하는? 인디아나 존스?"

"예. 저희 회사는 그렇게 전설로 전해져 내려오는 환상의 유산들을 발굴해 세상에 내보이는 회사입니다. 물론 인디아나 존스와 달리 그 나라 정부와 땅 주인에게 모두 양해를 구하여 합법적으로 일을 진행하는 회사입니다."

"그러다 예산이 부족해지면 외부 투자도 받고요?"

"아무래도 그렇죠. 이쪽 바닥의 일이 로또처럼 대박 아니면 쪽박이다 보니 프로젝트 시작부터 투자자를 모집합니다."

종혁의 눈이 가늘게 떠진다.

"흠. 그런 거 거의 사기던데……."

"하하. 솔직히 사기라고 해도 할 말이 없긴 합니다. 저희 회사는 정보와 인력으로 투자자들의 돈과 시간을 사는 거니까요."

'어? 이놈 봐라?'

순순히 인정해서 좀 놀랍다.

"아, 죄송합니다. 제가 직업이 직업이다 보니. 그럼 러시아의 보물을 발굴하러 오신 겁니까?"

"혹시 표트르 대제의 숨겨진 보물에 대해 아십니까?"

"러시아 제국의 초대 황제 말씀이시죠?"

러시아가 강국으로 발돋움할 수 있는 기틀을 마련한 영웅이자 폭군.

러시아인들에겐 위대한 군주로 추앙받는 이가 바로 표트르 1세, 러시아 제국의 초대 황제였다.

"예. 저희 회사에선 그 표트르 대제가 사후의 러시아를 걱정해 러시아 전역에 숨겨 놓은 보물 중 하나를 이번에 찾아내 현재 발굴 중에 있습니다. 미비하지만 성과도 거둔 상태고요."

"우와? 이거 축하드립니다. 대박 나셨네요."

"하하. 500여 톤 상당의 보물과 금괴를 모두 찾아내야 대박이라고 할 수 있죠. 그 전까지는 대박인지 쪽박인지 모릅니다."

"500톤이요?"

눈이 동그래진 종혁이 셈을 하다가 탄식을 토했다.

그러나 속으로는 웃음을 터트렸다.

'이 새끼가 약을 치네?'

이쪽을 슬쩍 떠보는 거다. 아직 의심이 모두 사라지지 않은 게 분명했다.

"와, 이거 셈이 안 되네요. 단순히 금 무게만 따져도 족히 10조는 넘겠는데요?"

"저희는 그 몇 배로 추정하고 있습니다."

"……호오. 그거 꽤 관심이 가는 이야기네요."

"죄송합니다. 저희가 소액 투자는 받지 않아서……."

"아, 그 부분은 걱정 마세요. 저희 어머니가 좀 부자시라서요."

종혁이 흥미진진한 표정을 짓자 속으로 웃던 도경수가 돌연 한숨을 내뱉는다.

"하아. 최 형사님, 제가 그래도 한 살이라도 많은 어른으로서 충고해 드리는 건데 이런 투자는 누구의 말도 믿어선 안 됩니다."

"자신이 직접 보고 판단해라. 압니다. 저도 경찰입니다."

"그렇다면 다행이지만……."

"차장님! 여기 계세요? 올라프 씨께서 찾으십니다!"

"아, 지금 갈게! 그럼."

"예. 즐거운 파티 되세요."

종혁은 화장실을 빠져나가는 도경수를 보며 담배를 물었다.

'새끼. 입 한번 예술적으로 터네.'

한 번에 덥석 물지 않고 이쪽에 충고를 하는 모습으로 신뢰감을 형성하려는 수작. 사기꾼의 전형적인 수법이다.

'그래. 대충 의심이 사라지니까 내 돈이 탐나기 시작했냐?'

걸려들었다.

"후우우."

담배 연기가 경쾌하게 흩어졌다.


한편 화장실을 빠져나온 도경수는 부하 직원을 바라보며 엄지를 치켜들었다.

"나이스 타이밍."

"차장님."

"최종혁에게 왜 투자 제의를 했냐고?"

"예."

"엿 먹이려고."

이번에 빅토르가 준 돈.

아직 의심이 모두 가신 건 아니지만, 그 돈은 욕심이 났다. 이번 프로젝트의 목표액보다 많은 돈이니 말이다.

"그 돈이 모두 빨리면 저 새끼도 좆같겠지?"

절반만 가져와도 종혁에겐 심리적으로 큰 타격이 될 거다. 원래 돈이란 건 있다가 없을 때 가장 힘든 법이니까.

"저라면 자살하죠. 무슨 말인지 알겠습니다. 회사에 피해나 끼치는 새끼 엿 먹이자는 거죠?"

"그러다 그 돈 복구하려고 도박 같은 거에 빠져 주면 더 좋고. 얼른 가서 작전 짜자. 아, 그런데 정말 올라프가 부른 거야?"

"아, 예. 얼른 가야 합니다."

"시발. 그걸 먼저 말했어야지! 어디 있어?"

도경수와 그의 부하 직원은 올라프를 향해 뛰어갔다.

\* \* \*

이후 파티는 무난하게 흘러갔다.

도경수는 더 이상 접근하지 않았고, 종혁 역시 이 정도가 적당했기에 마찬가지로 다가서지 않으면서 파티는 별탈 없이 끝났다.

그리고 다음 날, 수사기법에 대한 포럼의 단상에 선 종혁은 세계에서 내로라하는 범죄학계 인사들과 각국 경검찰 고위 간부들이 자신을 뚫어지게 쳐다보니 새삼 격세지감을 느꼈다.

'진짜 컸네, 나.'

―그럼 종혁 최의 발표가 있겠습니다.

떨리는 심장을 다독인 종혁은 핀 마이크를 잠시 점검했다.

"아아. 거기 끝, 들립니까?"

"잘 들려!"

"하하. 귀가 잘 들리지 않는 나이들이신 것 같아 걱정했는데 다행이군요."

"하하하하!"

센 위트에 웃을 줄 아는 관객들.

한결 마음이 놓인 종혁은 피식 웃으며 등 뒤의 스크린을 가리켰다.

"제가 오늘 발표하려는 건 수사기법의 미래, 정확히는 수사의 미래 모습입니다. 어린놈의 망상이라고 생각하셔도 좋고, 심각하게 들어 주시면 감사하겠습니다. 이건 분명 10년 안에 현실이 될 이야기니까."

사람들의 표정이 가라앉자 종혁은 주머니에서 핸드폰을 꺼냈다.

"다들 이게 뭔지 아실 겁니다."

"셀폰!"

"최! 우리도 2000년대를 살고 있다고! 1900년대를 사는 게 아냐!"

장난스레 반발하는 그들의 모습에 종혁은 단호히 고개를 저었다.

"아뇨. 이건 악몽입니다. 정확히는 길어도 6년 안에 우리의 악몽이 될 놈이죠."

정색하는 종혁의 모습에 사람들은 어리둥절해했다.

"소개하겠습니다. 올해 6월부터 미국에서 절찬리에 판매중인 내 손안에 컴퓨터, 새 시대의 혁신 스마트폰입니다."

"......."

"이런, 아무도 호응해 주시지 않네요. 그럴 수 있습니다. 여기 있는 분들 대부분 이것이 뭔지 감조차 잡히지 않을 테니까요. 일단 이것을 소개하는 시간부터 가져 볼까요? 자, 일단 전화. 되는군요. 문자도 됩니다. 사진도 찍히는군요."

기존 핸드폰의 기능이 모두 녹아들어 있다.

"오, 그런데 놀랍게도 한 가지 기능이 더 되는군요."

메일. 바로 이메일이다.

술렁.

순간 머릿속이 간질해진 관객들이 더 집중을 한다.

"다들 눈치채셨다시피 예, 이제 범죄자에게 장소의 구애가 사라졌습니다."

이제 핸드폰의 전파가 닿는 곳이면 어디서든 메일을 보낼 수 있게 됐다. 범죄 모의나 알리바이 꾸미기가 더 쉬워지는 거다.

"더 심각한 걸 알려 드릴까요?"

종혁이 손짓을 하자 스크린의 화면이 바뀌며 두 개의 로고를 나타낸다.

"현재 미국에서 열풍을 불러일으키고 있는 소셜 네트워크 서비스 블루버드와 페이탈북입니다. 장점은 누구라도 간단히 회원가입을 할 수 있고 자신의 이야기를 게재할 수 있으며, 나와 전혀 상관없는 타인이 그 게시글을 보고 글을 남길 수 있다는 겁니다. 그게 설령 수배가 내려진 범죄자든 일반인이든 그 누구라도."

쿵!

"자, 잠깐 그 말은?"

눈치 빠른 누군가가 예의 없이 끼어들었지만 종혁은 개의치 않았다. 지금 그딴 게 문제가 아니었으니까.

"예. 저 멕시코 남부의 마약상 페레즈가 LA의 마약중독자 밥에게 다이렉트로 마약 거래를 할 수 있게 됐다는 겁니다. 그것도 복잡한 암호나 절차 따윈 필요 없이. 아이스, 30 콜? 오케이."

마약 중 한 종류의 은어인 아이스.

쿵!

사람들의 엉덩이가 들썩인다.

"이게 과연 마약상만의 이야기일까요? 전혀. 영국의 아동 포르노 제작자가 중국의 6살 메이메이에게 메시지를 보낼 수 있고, 세상에 넘쳐 나는 범죄자들은 이것을 통해 손쉽게 타깃을 고르게 될 겁니다. 자신의 입맛에 맞는 타깃을."

쿠웅!

사람들이 한두 명씩 엉덩이를 떼며 일어났고, 나머지들

도 엉덩이를 들썩이며 초조해했다.

종혁은 그런 그들에게 쐐기를 박았다.

"그런데 여기에, 이 스마트폰에 강력한 보안 시스템이 탑재된다면 어떻게 될 것 같습니까? 포렌식으로도 결코 들여다볼 수 없는 보안 시스템이. 문자, 통화 그 모든 걸 주인의 허락이 없으면 볼 수 없게 되는 보안 시스템이!"

콰앙!

이곳에 모인 사람들 벌떡 몸을 일으켰다.

종혁의 말이 맞다면 이건 악몽이다.

악몽이 맞았다.

사람들의 얼굴이 파랗게 질렸다.


"그럼 4시간의 휴식 시간을 가진 후 2부를 시작하겠습니다."

"최!"

"이봐, 최!"

"질문은 2부에서 합시다. 나도 힘들다고요."

끙 앓는 소리를 낸 사람들은 손을 내리며 일어섰고, 종혁에게 가드너 교수가 다가선다.

"이거였군요. 당신이 말하고자 했던 게."

"전 세계 수사기관과 사법부, 입법부, 하물며 정치인까지 머리를 모아 대응해야 되는 문제죠. 이제부터 범죄의 진화 속도는 저 프랑스의 테제베보다 몇 배 더 빨라질 겁니다."

나날이 발전할 거다. 절대 따라가지 못할 속도로.

그렇다면 답은 하나다. 그들보다 한 발 앞서서 문제를 인식하고 대응해야 됐다. 그러기 위해 이번 강연을 준비한 거다.

"돌겠군. 일단 가지, 안드레. 머리를 모아야겠어."

일단 종혁의 가설이 품고 있는 모순부터 찾아야 한다.

그래야 올바른 대응을 할 수 있다.

종혁도 그러라고 4시간의 휴식 시간을 준 거다. 자신의 발표에 어떤 맹점이 있을지 모르기 때문이다.

"그러지. 이야기는 나중에 하죠, 최."

그렇게 둘이 떠나자 종혁 역시도 포럼이 열리는 건물을 나서는 순간이었다.

"어? 최 형사님?"

"도경수 차장님?"

종혁은 때마침 건물 앞을 지나쳐 가는 도경수를 발견하곤 속으로 재밌다는 듯 웃었다.

'그래, 접근하기로 한 거냐?'

우연을 가장한 접촉을 통한 친밀 관계 형성.

이 역시도 사기의 기본이었다.

이들의 수법이 눈이 훤히 보였지만, 종혁은 모른 척 놀란 모습을 보였다.

"도경수 차장님이 여긴 어떻게……."

"아, 마침 근처에 볼일이 있어서 지나던 길입니다. 그런데 이야아, 여기에서 포럼이 열리나 봅니다?"

"아, 예."

"아하. 그래서 그런지 범상치 않게 생기신 분들이 많으시네요. 그런 쪽의 포럼이라서 그런가?"

"저……. 실례가 안 된다면 저, 저희도 참석할 수 있을까요?"

"예?"

"인마!"

"죄송합니다!"

"아이고, 죄송합니다. 이놈이 수사 드라마를 굉장히 좋아해서 말입니다."

도경수 차장이 옆에 있는 이십대 사내의 등을 두드린다. 어제 도경수와 있었던 사람과 다른 인물.

"드라마를 좋아하는 게 아니라 심리학을 좋아한다니까요."

"아, 심리학. 사회생활을 하는 데 도움이 되는 학문이죠."

타인의 심리를 파악할 수 있다는 것만으로도 유리한 고지에 설 수 있으니 말이다.

"그렇죠?!"

종혁의 맞장구에 사내의 얼굴이 확 밝아진다.

"거봐요! 배워서 나쁠 게 없다니까요!"

"어후. 그런 골치 아픈 건 됐다, 됐어. 그래서 참석할 수 있습니까? 전 괜찮지만 이놈이 좀……."

종혁은 단호하게 고개를 저었다.

"죄송합니다. 관계자만 참석할 수 있는 포럼이라서요."

'씨발, 개새끼들이 어딜 감히.'

범죄자 따위가 존경받아 마땅한 사람들 사이에 엉덩이를 들이밀려는 걸까.

하지만…….

"궁금하시면 나중에 한번 찾아보세요."

종혁은 강연의 내용 자체는 이들이 알기를 바랐다.

이들이 스스로 생각하지 않고, 가이드라인이 제공된 지식을 받아들이는 게 행동을 제약하기 쉬울 테니까.

원한다면 얼마든지 오늘 강연 내용을 구할 수 있는 놈들.

종혁은 이들이 꼭 구하길 바랐다.

'그럼 너희는 내 손바닥 위에 올라오는 거지. 솔직히 스스로 깨우친다고 해도, 뭐…….'

종혁이 속으로 흉흉하게 웃기 시작했다.

"그런가요. 쩝. 아쉽네요. 그런데 이것도 인연인데 점심시간이시면 저희와 같이……."

"죄송합니다. 선약이 있어서요."

"아, 그러십니까? 하하. 어쩔 수 없죠. 그럼 파이팅입니다."

"하하. 그럼."

고개를 까딱인 종혁은 오택수들과 함께 근처의 식당으로 향했고, 도경수는 멀어지는 종혁을 보며 눈을 가늘게 뜨다 몸을 돌렸다.

"박 사원, 네가 오늘 뭘 해야 하는지 숙지했지?"

"예. 걱정 마십시오."

우연을 가장해 계속 종혁과의 접점을 늘리는 거다.

그들이 이번 사기를 위해 만든 회사, 선유컴퍼니에 흥미를 가지도록.

'그럼 게임은 끝이지.'

도경수는 희희낙락하며 거리로 향했고, 그런 그를 한 러시아 여성이 스쳐 지나가며 누군가에게로 전화를 건다.

"여보세요? 추운데 어디야! 곧 공연 시작하는데!"

모스크바의 서늘한 바람이 도경수와 사내를 휘감았다.

* * *

"이상으로 마치도록 하겠습니다. 후우. 후."

너무도 격렬했던 토론의 장.

세기의 천재들이 던지는 질문들은 무척이나 매서웠고, 때론 종혁이 생각지도 못한 방향으로 생각하는 것들도 있었다.

이에 종혁도 전력을 다해 대응할 수밖에 없었고, 그에 끝을 모르던 그의 체력도 고작 6시간 만에 바닥을 드러냈다.

그리고 답답한 넥타이를 풀어 헤치는 그에게 박수가 쏟아졌다.

짝짝짝짝짝!

"와아아아아!"

발표가 끝나자 모두 의자에서 일어서 기립박수를 친다.

마치 점술가의 예언처럼 허황되지만, 선지자의 예언처럼 후에 찾아올 시대의 흐름을 짚어 낸 종혁의 강연.

이에 박수를 치지 않을 사람은 없었다.

그중 가장 인상이 깊은 건 아무래도 스마트폰과 관련된 내용이었다.

"시대의 흐름이 최의 말처럼만 흐른다면, 저 스마트폰은 정말 악몽이 되겠지."

스마트폰이 손에서 떨어지지 않는 삶.

아침에 일어나 스마트폰으로 시간을 확인하고, 잠들 때마저도 놓지 않는 삶. 심지어 간단한 업무마저 스마트폰으로 할 수 있을 거라고 한다.

스마트폰은 몇 년 지나지 않아 현재 보급화된 컴퓨터의 성능을 따라잡을 테고, 종국엔 스마트폰이 컴퓨터를 대체할 시대가 온다고 했다.

즉, 개인의 모든 일상이 스마트폰에 담기게 되는 것이다.

영화로만 봤던 공상의 영역.

그럼에도 수사기관이 스마트폰을 들여다볼 수 없다?

그건 진짜 악몽이었다.

"후. 그렇다고 스마트폰에 보안 시스템을 탑재하지 말라고 할 수도 없고."

"결국 문제는 입법부 놈들이겠군."

개인정보의 보호.

이걸 침해하는 순간 공산주의나 다름이 없게 된다.

이걸 피하면서도 스마트폰을 들여다볼 수 있는 법적인 제도가 필요했다.

"정확히는 가진 게 많은 놈들이 문제라고 봐야겠지."

"그놈들이 선동과 날조를 시작하면 골치 아파지겠어."

개인정보가 털리면 안 되는 이들.

개인정보를 어떻게든 보호하려는 이들.

범죄자가 아니라 가진 게 많은 이들이 오늘 종혁이 말한 것들을 어떻게든 막아 내려고 난리를 칠 것이다.

"스마트폰이 보급화된 이후에 이 문제점을 깨달았다면 대응이 너무 늦었겠어."

"역시 최야. 돌아가면 할 일이 많아지겠군."

"나도 내 친구들을 모두 모아야겠어."

이번 포럼에 참가하지 않았다면 정말 큰 후회를 할 뻔했다.

"최! 오늘은 시간이 있는 거겠지?"

"음? 아, 예!"

누군가와 통화를 하다 대답한 종혁은 잠시 생각에 잠겼다.

'숨어 있다라…….'

포럼이 열리는 이 건물을 비롯해 이번 포럼에 참가하는 사람들의 숙소나 어제 이용하는 술집, 식당 근처에 웬 감시자들이 있다고 한다.

놈들이다.

종혁의 입가에 사악한 미소가 맺힌다.

"아무래도 뜨거운 밤이 될 것 같은데, 오늘은 제 별장에서 마시는 게 어떻습니까?"

"오! 러시아에 별장도 있었어? 어디든 맥주만 있다면 좋지!"

"난 위스키!"

"와인도 있나?"

"하하. 원하시는 모든 술과 여러분이 모두 주무실 수 있는 방도 있습니다!"

"오오오! 뭐해? 어서 안내하지 않고!"

피식 웃은 종혁은 아직 통화를 종료하지 않은 핸드폰을 귀에 가져갔다.

"모두 이동할 겁니다. 헬기 준비해 주세요."

─후후. 알았어요, 최.

그들이 지상에서 종혁 자신의 동선을 감시한다?

언제든 우연을 가장해 접근하기 위해?

그러면 하늘로 움직이면 되는 거다.

'야, 내가 너희의 뜻대로 따라 줄 것 같냐? 아직 우린 만날 때가 아냐.'

"최, 최 팀장? 서, 설마 헬기 영수 처리할 거야?"

'에라이.'

"안 해요. 안 할 테니까 안심하세요."

종혁은 하얗게 질린 백이도를 다독이며 옥상으로 향했다.

'애 좀 타 봐라, 새끼들아.'

사기에는 역사기였다.

애태우기. 이 역시도 사기의 기본이었다.

\* \* \*

투다다다다다!

"빌어먹을!"

또다시 밤하늘을 줄지어 이동하는 헬기들에 이십대 사내는 핸드폰을 집어 던지려 들었다가 조심스럽게 팔을 내린다.

—……또 헬기냐?

"예. 오늘도 방향이 그 새끼 저택입니다."

—하, 이 미친 또라이 새끼.

아침도 헬기로 출근하고, 점심엔 포럼이 열리는 건물 안으로 뷔페를 들인다. 한식, 중식, 양식, 일식, 심지어 저 맛대가리 없는 영국 전통 요리까지, 세상 모든 음식들을 언제든 먹을 수 있으니 포럼에 참가한 사람 그 누구도 건물 밖으로 나오지 않는다.

"이 새끼 설마 눈치챈 거 아닐까요?"

—뭘? 어떻게? 어디서?

"……죄송합니다. 제가 실언을 했습니다."

그럴 일도 없겠지만, 종혁이 자신들의 정체에 대해 알아차렸다면 벌써 급습을 하러 왔어야 한다.

혹여 의심만 하고 있을 뿐이라고 해도 말이 되지 않았다. 어떤 인간이 그저 의심만으로 수억 원을 며칠 만에 태워 버릴까.

'씨벌놈의 졸부 새끼!'

하는 짓이 돈 자랑을 하지 못해서 안달이 난 졸부와 다름이 없었다.

'괜히 애만 태우게 하고!'

─포럼이 언제까지지?

"오늘로 끝입니다."

─후우. 어쩔 수 없군. 철수해. 이후의 일은 한국에 맡긴다.

포럼이 끝났으니 한국으로 돌아갈 종혁.

여기서 무리하게 접근했다가는 의심의 빌미만 제공하는 꼴이었다.

"알겠습니다……."

통화를 종료한 사내는 택시를 잡기 위해 터벅터벅 도로로 향했고, 방금 전까지 그가 앉아 있던 벤치 근처에 누워 있던 홈리스가 귀로 손을 가져간다.

"상황 종료. 비둘기가 둥지로 돌아간다."

─수신.

그들의 모든 움직임은 종혁의 손바닥 위에 있었다.


한편 종혁의 저택.

포럼의 마지막 날이라 사람들은 허리띠를 푼 채 술을

들이켰고, 곧 대저택 안에는 인사불성이 된 사람들로 가득하게 되었다.

그런 그들에게 휘말려 꽤 술을 마시게 된 종혁은 뜨거운 숨을 뱉어 내며 침실로 향했다.

달칵!

문을 닫는 순간 종혁의 얼굴에서 사라지는 취기.

그런 그에게 나탈리아가 장미향을 풍기며 다가선다.

"이것 좀 마셔요."

차가운 물 한잔과 작고 둥근 알약 6개.

"이건?"

"지금도 저희가 애용하는 숙취해소제예요. 술을 고래처럼 마신다고 해도 정신을 멀쩡하게 만들어 주죠."

"아, KGB 시절에 발명된 거예요?"

그렇다면 확실히 믿을 만할 것이다. 역사는 술자리와 잠자리에서 가장 많이 만들어지는 법이니까.

알약과 물을 단숨에 들이켠 종혁은 10분도 채 지나지 않아 올라오는 약효에 혀를 내둘렀다.

"죽이네요."

"그래도 너무 애용하진 말아요. 간을 망가트리거든요."

"러시아 사람은 보드카 때문에 망가지는 게 빠를 것 같은데요."

"호호."

맞는 말이라 입을 다문 나탈리아는 손수 내린 홍차를 내밀었다.

차를 한 모금 마시며 침대에 걸터앉은 종혁의 눈빛이 서늘해진다.

"놈들이 이르쿠츠크로 돌아갔다고요?"

"방금 전 박재현이 이르쿠츠크행 비행기에 탑승했어요."

본명인지 아닌지 모르지만, 포럼 건물 앞에서 마주쳤던 이십대 사내이자 모스크바에 남아 있던 놈들 조직의 조직원이 쓰는 이름이다.

"다른 놈들은요?"

"총 6명. 모두 마킹해 놨답니다."

"고마워요, 나탈리아."

고개를 저은 나탈리아가 자신 몫의 홍차를 입에 가져가며 눈빛을 가라앉혔다.

"그런데 왜 이번엔 다르게 움직이는 건가요?"

저번 다단계 투자 사기 때처럼 놈들의 발굴 권한을 삭제시킨 후 모형정원으로 안내하면 끝이다. 저번의 경험도 있으니 이번엔 놈들의 몸통까지 치고 갈 수 있을 거다.

두 눈이 고요하게 가라앉은 나탈리아의 모습에 종혁은 피식 웃으며 홍차를 들이켰다.

"그러면 너무 쉽죠. 아마 이번에도 놈들이 만든 연수원? 아마 저번의 연수원과 같은 역할을 하는 곳까지 수월하게 따낼 수 있을 겁니다. 하지만 거기서 끝입니다."

이미 한 번 크게 데인 놈들이다.

연수원에 대한 보안을 침입이 불가능한 수준까지 끌어 올려 놨을 거다. 정말 운이 좋아야 놈들의 몸통에 대한 단서를 알아낼 수 있을까.

만약 다가가지도 못한 채 발각되면 놈들은 더 깊은 곳으로 숨어 버릴 거다. 어쩌면 지금까지 확보한 정보가 모두 무용지물이 되어 버릴지도 모른다.

"그리고 난 제거를 당하겠죠."

아이반과 종혁이 동시에 한 공간에 존재함으로써 서로 다른 인물임이 드러났지만, 아직 의심이 가시지 않았을 거다.

그런데 이번에도 연수원이 날아간다? 놈들은 무슨 수를 써서든 종혁 자신을 제거하려 들 거다.

보물선 발굴이 취소되어도 놈들은 종혁에 대한 제거를 입에 올릴 거다. 그게 설혹 종혁과 전혀 연관이 없어 보여도 지금까지 거슬린 게 너무 많기에 그냥 제거를 하려고 들 것이다.

설혹 그로 인해 막대한 손해를 보더라도 놈들은 심리적인 안정을 취하려 들 것이다.

"우리 러시아가 지킬 겁니다, 최."

"압니다."

연수원 급습 작전이 실패한 순간 SVR 요원들과 특수 부대원들이 종혁을 지킬 거다.

그리고 어디 러시아뿐일까. 종혁을 은밀히 보호하는 CIA까지 동참해서 놈들을 막아 낼 거다.

"하지만 그렇게 되면 난 더 이상 한국에 있을 수가 없습니다."

놈들이 자신들의 라인을 동원해 종혁을 국외로 추방시킬 거다.

많이도 필요 없다. 언론과 경찰, 검찰, 그 세 곳만 움직이면 된다.

결코 벗어날 수 없는 함정을 파고, 종혁으로 하여금 도저히 한국에서 붙어 있을 수 없는 어떤 일을 만들어 낼 거다.

가장 손쉽게 생각할 수 있는 건 종혁 자신으로 하여금 살인을 저지르게 만드는 것.

누명이든 뭐든 그 덫에 걸린 순간 종혁은 정직 처분은 물론이고, 손발이 모두 묶이게 될 거다.

그렇게 해서라도 놈들을 수면 위로 끌어올릴 수 있다면 충분히 어울려줄 용의가 있지만, 그들이 만약 끊어도 되는 꼬리를 붙인다면? 자폭 테러를 벌인다면?

그로 인해 어머니 고정숙이, 다른 지인들이 목숨의 위협을 받는다면?

"목숨이 걸린 이상 그런 불확실한 도박엔 베팅을 할 수 없습니다. 그리고 이 부분은 나탈리아도 잘 알고 있을 테고요."

그러니 시험은 관두라는 짜증 섞인 시선에 나탈리아가 나른하게 웃는다.

"아마 저도 한국에서 쫓겨나게 되겠죠."

찰칵! 치이익!

'감히. 나를.'

"그래서 이제 어떻게 할 건가요? 이대로 포기할 건가요?"

도발하는 듯한 그녀의 모습에 종혁은 피식 웃었다.

"그럴 리가."

찰칵, 치이익!

종혁은 담배 연기를 뿜으며 입을 열었다.

"나탈리아, 사기꾼이 가장 싫어하는 게 뭔지 압니까?"

뭔가를 깨달은 나탈리아가 푸핫 웃음을 터트린다.

"예. 바로 변수입니다."

처음부터 끝까지 치밀하게 짜여 있는 계획을, 판을 망가트릴 변수. 세상 많은 사람들이 싫어하는 변수.

위험한 도박이다? 그럼 위험하지 않게 만들면 된다. 놈들이 깔아 놓은 판을 적극적으로 이용해서.

그 누구도 의심할 수 없도록. 놈들 스스로 자멸의 길에 빠지게 만들면 된다.

"그렇지, 김 대리? 아니, 김경후 씨."

벌컥.

문을 열며 들어오는 한 사내. 다단계 투자 사기 때 그 조직에게 버림을 받은 사람. 강제적으로 은퇴를 당할 뻔하다 결과적으로 종혁에게 구함을 받은 사람.

그때와 다른 얼굴이 된 김 대리, 아니 김경후가 차갑게 웃는다.

"예. 그것도 같은 업종이면 죽여 버리고 싶을 정도일 겁니다. 아이반, 아니 최종혁 씨."

"흐으응."

종혁은 재밌다는 듯 웃는 나탈리아를 보며 사납게 웃었다.

"바이칼스크에 제 별장이 있다고 해죠?"

이르쿠츠크처럼 바이칼 호수 인근에 있는 작은 도시 바이칼스크.

"바이칼스크뿐만 아니라 슬류단카, 바부스킨, 울란우데, 앙가르스크, 심지어 이르쿠츠크와 바이칼호 안에도 있답니다."

어디서든 바이칼 호수의 아름다움을 만끽할 수 있도록.

"그렇다네? 이제 복수의 시간이야, 김경후 씨."

"감사합니다. 내게 이런 기회를 줘서!"

김경후의 얼굴이 흉악하게 일그러지기 시작했다.

(회귀 경찰의 리셋 라이프 20권에서 계속)